はじめに──医者になってよかったこと

多忙な日々を過ごしていると、心を失う。そのうえ、診ていた人がガンで亡くなると、ガックリくる。自分の無力さをひときわ感じ、何のために医者になったのか、わからなくなる。ところが心ある受診者に会うと、どんな疲れも吹っ飛ぶから、不思議である。

Aさんは白髪でやせ形、無口な女性（54歳）である。外見だけ取って言うと、幸の薄い印象が漂うが、話をすると、その印象はガラリと変わる。Aさんは今までに自分の子どものほかに、親のない子どもたちを7人も立派に育て、成人させた。しかも施設で面倒を見きれないと放り出された子どもも含むというから驚いてしまう。

「先生、また1人預かっちゃったよ。今度の子どもはもう5歳なのに、赤ちゃん言葉しか言えないの。生まれてからずっと施設をたらい回しにされたのが原因だと私は思うのよ。先生どう思う？」「多分、その子には、ちゃんと言葉を直し、教えてくれる母親代わりの人が、いなかったんじゃないかな」「治るかしらねえ？」

こんなふうに、Aさんは自分の病気のことより、預かった子どものことばかり聞く。

「Aさんがこれから母親代わりだから大丈夫だよ」と私は答える。

3年前、小学校の教諭だった時、Aさんのクラスの子が4階から落ちて死亡。それがきっかけで、Aさんは心筋梗塞《しんきんこうそく》になり、死にかけた。そのための再診なのに、自分のことは二の次だ。Aさんの身体がだめになれば、その孤児も、また施設に舞い戻ってしまう。Aさんの健康を守ることが5歳の子の将来にかかってくるのだ。

患者を診ていて思うのは、その人を必要としている人がいて、愛する人たちに応えようとする――その強いつながりを生で感じた時ほど、私も元気が湧いてくる。そして、医者になってよかったと心から思うのである。

安岡　博之

目次——カラダにも効く「**心のクスリ**」

1章　体にも効く心のクスリ　13

2章 男のココロ 43

3章 女のココロ

4章 家族のカタチ 119

5章　あなたとわたしの働き方改革　183

1章

体にも効く心のクスリ

心の予防医学——社外役員も一つの道

予防医学とは一般的に生活習慣病（心臓病、脳卒中、糖尿病など）予防のため、食事や運動指導を行なうことと思われている。しかし私たちは30年も前から、予防は「心」から行なう必要があると提唱し続けてきた。その甲斐あって、喜ばしいことに心療内科が世間から注目され、テレビのドラマ化もされた。それでも心が病み、病気が進んでから心療内科を訪れる人が多く、長期間の通院加療を強いられるケースが多い。やはり早期からの「心の予防医学」が、生活習慣病も含めた多くの病気の予防に有効なことを、知っておいて頂きたい。

S女史（48歳）は某化粧品会社に長年勤め、新製品の企画開発主任であった。体調は悪い。胃腸が弱く、半年前に2週間程、急性胃腸炎で入院したばかりだった。会社から当院の心身両面の人間ドックに行くように指示されて来た。胃のレントゲンで、胃はただれ、十二指腸には多数の潰瘍の跡が残っている。「これではしょっちゅうお腹が痛くなるでしょう？」と聞くと、昨日も痛くて、2、3時間しか眠れなかったという。原因は売れる物を常に一定期間に作らねばならないというプレッシャーと、周りからの妬み嫉みにあった。特にSさんは優秀で、いい製品を世に出す能力が高く、会社も期待し、いいポジションにつける。男性中心の職場で女性の出世は異例で、彼女は孤立化した。しかも毎回ヒットやホームランが放てるわけではない。一人、家のベッドで泣くことも多かったという。

◇人生で達成したいこと

彼女に提案したのは、人生で達成したいことを一緒に考えてもらうことであった。当然その時に大切なのは会社より自分のことを優先すること。何度か話す機会を持って、彼女から出たのは、環境に優しい化粧品をライフワークとして作りたいということと、2、3週間ほどニューヨークでぶらぶらしてみたいということであった。これらを達成するには、会社を辞める必要があった。そこでその会社の社長さんに直接相談するよう勧めた。結果、S女史は社外役員として会社に残ることになり、一方でそれまで会社の意向でできなかった化粧品作りに着手、独自に作り上げた。それはヒット商品として今でもロングセラーとなっている。

でも20年経った今でも、彼女が私にお礼をいうのは、社外役員になれたことよりも、ニューヨークで自由気ままな日々を持てたことに対してである。

軽症うつ症の予防

Kさん（34歳）は、コンピューターのプログラマーを12年ほど続けている。仕事は順調だが、彼には悩みがある。それは家族に精神障害者がいるため、自分も精神的に弱いのではという不安が頭から離れないことだ。また普段から無口で、仕事以外では、どんなことを話せばいいのか頭に浮かばない。ただキーボードを叩いて、コンピューターさえ動かしていれば1日が終わり、丸1日、誰とも直接話をしない日も珍しくない。友達もほとんどおらず、休日はたいてい家にいるという。

これでは東京で暮らしていても孤島にいるようなものだ。当院の人間ドックの結果、軽度のうつ傾向が出ており、このままでは本当のうつ病になる可能性が高かった。本人もそのことは感じていたが、どうしていいかわからず、それがまた不安で心身ともに診てもらえる人間ドックを探していたのであった。

◇友達との他愛ない気楽な会話を設定したカウンセリング

彼は今、本当のうつ病に移行するのを予防するため、月1回、当院でカウンセリングを受けている。彼の話では女性にも興味があるし、いろいろな人ともつき合ってみたいけれども、面倒くさいのは嫌だという。

Kさんには、女性とどんな話をすればいいのか、そんなラフな、友達が普段話すような気楽な内容のカウンセリングを行っている。そして人とのコミュニケーションをとることで、自分の中に、今までの人生では思いも寄らなかった新たな気づきが生まれることを体験してもらうようにしている。

軽症うつ症の場合、すべてではないが、心から信頼できて何でも話せる友達がいることに気づいたり、相手の話を聞くことで自分だけが悩んでいるのではないと共感したりすることで、人生が楽になり、症状が回復することが多い。

だから、そういう話が気軽にできる女性よりも、話が苦手な男性で、真面目な企業戦士の間に軽症うつ症が流行っている。

気張らず、張り合わず、気軽に「ねぇ、聞いてよ」と何でも話せる親しき友を3人以上持つことが、心の予防になる。そのためには、こちらの方も、普段から人の話をちゃんと聞く機会をできるだけ持つように心がけたい。

ガン――心の免疫療法の効果

T氏（当時63歳）は兄弟家族で下町の工場を営む。ある日、胸のつかえ感を感じ、病院に行くと、いきなり食道ガンと宣告され、ショックでどん底まで落ち込む。毎日しょぼくれたり、妙に興奮したりと気持ちの整理が着かず、仕事にも精が出ない。執刀医から家族への説明では、ガンが大きく、取りきれず、食道をバイパスするだけの手術だから、根治は無理、せいぜい2年の命と言われた。本人には「手術して胸のつかえ感をとりましょう」という説明だけで、治るとはいわれず、T氏はより落ち込んだ。以前より当院に掛かっていた彼の甥っ子がT氏の落ち込みを治して欲しいと相談に見え、当院を受診してもらうことになった。

◇「早期ガンだから絶対治る」の一言が効く

T氏へのカウンセリングの前に、甥っ子が私の診療室に来て、小声で囁く。「先生、叔父貴はもう長くない。末期の食道ガンという真実より、切れば絶対治ると言って元気付けてやってくれませんか？」落ち込んだまま、手術を受ければ逆に悪い結果となる。進行ガンで予後は厳しかったが、写真を見ながら、言われた通り早期ガンと励ました。それを聞いて、T氏は椅子から飛び上がるほど喜んだ。以来めちゃくちゃ元気になり、手術も積極的に受け、病院にもしっかり通う。薬も嫌がらず飲んだ。4年後、甥っ子の結婚式に出て来た元気なT氏に会って正直驚いた。まさか生きているとは思わなかった。「先生の一言で救われました。大手術の跡を診て下さい」とその場で礼服のボタンを外し、胸の真ん中の傷をみせてくれた。

T氏が手術を受けて10年、今年で73歳になる。「治る」の一言が心へ働きかけ、免疫力が上昇、ガンを叩き、再発を防いだ。これを「精神神経免疫療法」と呼ぶ。偽薬でも効くと信じれば有効な結果を示す「プラセボ効果」は有名だが、これも精神神経の働きによる。そういう面では医者冥利につきるが、人間の心への働きかけでガンの成長が止まるのは摩訶不思議としか言いようが無い。T氏以外でも、大学病院で余命4カ月と宣告された末期の乳ガン患者が当院に来て、できるだけ戦おうと励まし、3年以上元気な人もいる。だから、この療法は意外と侮れない。昨今インフォームド・コンセント（十分な説明の上の同意）の名の下、患者に「手の施しようが無い」と医学的見地を直接ぶつけ、逆に患者の免疫力を奪ってしまう嘆かわしい医師も多い。T氏のように心への働きかけで奇跡がおこることもある。だから、医師も患者側も最後まで諦めないで欲しい。

ダイエットにも心の支えが必要

痩身エステがやたらと流行っている。しかも女性だけでなく、男性も普通に通っている。見た目のかっこよさも大事だが、医学的にも平均体重を保つことは、心筋梗塞、糖尿病、各種のガンに予防的効果がある。でも体重を落とし維持するのはなかなか難しい。当院ではリラクセーション・ダイエット療法という方法で、7、8%ほど体重を落とし、継続している。やり方は簡単である。医学的に良いものを食べながら、人間ドックにて肥満に関係する血液・生化学データ（脂肪肝、血糖値、コレステロール値）を医師と相談して目標値まで落とすだけである。データがよくなると、健康度が増し、体重は増えない。だから月に1回血液チェックをする。インターネットやTVでの体験的ダイエット法だと、リバウンドして前より体重が増え、逆にコレステロール値や脂肪肝が悪化し、健康上危険な場合もある。

◇ダイエットにも信頼できる医師の支えが必要

ダイエットの持続にはコツがある。痩せることが、自分の人生において、どういう意味があるのかを医師と毎回話し合うことが重要である。体重を落とすと、どうして病気の予防になるかを理解し、将来の仕事や人生設計にとってどのように役立つかを想像できれば7割は成功である。無意識のうちに食べることでストレスを解消している場合、それに代わるリラクセーション法を一緒に探す。リラックスできる方法は飲食、喫煙以外に、健康に良いものがたくさんある。自分に合う物を見つけ、それを意識して行えば確実に健康的に痩せていく。

T氏は35歳のバリバリの営業部長で地方への出張が多い。初診当時は、体重が88kgあった。地方出張の度に、現地の仲間と夜は宴会となり、毎晩午前様だった。翌日の午前中はいつも二日酔いで、肩こり、全身倦怠感の中で、仕事をしていた。このままではまずいと思い，友人の紹介で当院の人間ドックを受診する。それから3カ月、体重は70kgと18kg減った。酷かった肩こりや身体のだるさが嘘のようにとれた。肝機能障害も改善、高かった中性脂肪値も正常化し、医学的にも健康といえる状態になった。また酒以外にリラックスする方法として、軽いジョギングを始めた。飲みに行かない夜には軽く走る。2年経ってもT氏の体重は70kgとリバウンドも見られない。何が成功の鍵かと聞けば、まず食事の時に先生の顔が浮かぶ、そのことで一緒に支えてもらっている感じがして、酒量が極端に減ったと、笑いながら答えてくれた。病気にもダイエットにも心の支えが必要である。

笑いが移り、糖尿病改善

「先生、笑うって素晴らしい治療法なんですね。」去年に引き続き、今年のドックに来られたMさん（42歳女性、家事手伝い）が開口一番言った言葉である。最初何の事かさっぱりわからなかった。確かに去年の人間ドックで、アルコールも飲まないのに肝機能障害があり、さらには動脈硬化が同じ40歳になったばかりの女性にしては進んでいた。なぜこんな病的所見が出ているのか？　Mさんは仕事をやめ、糖尿病からほぼ失明、寝たきりになった母親の介護をこの3年続けている。そのストレスといえば大変であった。ほとんど24時間つきっきり。トイレに行くのも寝床からいちいち起こし、食事も3度3度1時間ずつかけて食べさせる。それだけでなく、母娘2人だけのため、寝たきりの母親は時折、自分の介護のために人生で一番大切な時期に嫁にも行かず、社会にも出ずにいる娘が不憫で「もう死にたい」と暫し泣き崩れる。それが何よりMさんにとっては辛かった。唯一の息抜きはショートステイで施設に母を預かってもらえる時だけだった。

◇娘が笑うと、寝たきりの母親も笑う

泣く母を見て精神的にも落ち込み、この生活がいつまで続くのだろうと毎日がうつうつとしていた。そんな折、ドックにみえた。その際の病的所見はストレス性障害といえる。コンサルテーションで優先したのは、運動や食事指導より、精神的にアップさせることだった。テレビやビデオ、雑誌から本に到るまで、とにかく笑えるものを選んでもらう。しかも面白い時には、大声で笑うように指導した。

米国の有名な評論家であるノーマンカズンズ氏が心臓病で倒れた時、病室に笑えるビデオや本をしこたま置き、医者から重病と言われた心臓病を克服した例もある。Mさんが驚いたのは自分よりも母親の病状だった。Mさんが大声で笑うと目のほとんど見えない母親もその笑い声を聞いて、一緒になって笑うという。娘が人生を楽しむのをまるで自分も楽しむかのように。それだけではない。そんな風にしょっちゅう母娘で笑って半年経ったら、母親の糖尿病が良くなり、お医者さんから薬を減らすように指示されたという。笑いによって免疫力が上がるという医学的報告はあるが、笑いが伝染して寝たきりの人の病状が改善したという報告は無い。介護施設で「笑うプログラム」を設け、職員も一緒になって笑い合う価値があるだろう。もちろんMさんの人間ドックの結果は大幅に改善していた。

恐怖心が襲うパニック症候群とは

精神的に混乱を起こすパニックは誰にでも訪れる。でも自分で制御できなくなると、パニック症候群という不安神経症の一種になる。

Wさんは29歳、あるカード会社のOLだ。ある朝、出勤のため電車に乗った途端、言いようのない恐怖感が止めどなく押し寄せてきた。深呼吸しようが、持っていたペットボトルを飲もうが、この何かに襲われる時の身の毛のよだつ違和感が無くならない。冷や汗もすごく、いたたまれなくなり、途中下車した。以来、電車に乗るのが怖くなり2カ月間も欠勤してしまった。誰かと一緒にいるとそんな恐怖感は起こらず、電車に乗っていられる。たまたま電車に知り合いが乗り合わせていると、平気で会社に行ける。Wさんは職場に出れば、普通の人以上に仕事もできるし、明るく振る舞うため、周囲からは仮病扱いされてしまう。それが本人を余計に苦しめた。実際この病気の方の多くがそうで、誤解を受けやすい。

◇未来希望型の考え方へ

彼女と月1回のカウンセリングを行うようになり、1年が経つ。欠勤も年10日ほどに減り、調子もいい。この病気は他人への依存度の高い人や、自分の机を誰かに整理されるのも嫌なほど自分のやり方を押し通す頑固な人に多い。1日休んだだけで、リストラされるのではと最悪の状況を想定し、恐怖心から懸命に仕事をこなす傾向の人も危険だ。

予防策としては、自分がほっとできる具体的なものを普段から身に着けること。携帯電話、お守り、子どもの写真など、何でもいい。その安心感だけでパニックは減る。もうひとつは自分の考え方を恐怖回避型から未来希望型に変えていくことである。

Wさんの場合、まず携帯電話を常に持つことで、いつでも誰かと話せる安心感を得た。同時に病気を治さないと解雇されるという考え方から、治せば今まで断念していたヨーロッパ旅行に行けるという未来への希望に気持ちを切り替えた。それで呪文のように毎日「有休でヨーロッパ旅行」と唱え、1年掛かってこの病気から抜け出すことができたのである。

それが証拠に、2年後には、実際に独りでヨーロッパのベルギーに旅行することを実現させた。そのことは10年経った今でもWさんの自信につながっており、時に具合が悪くなっても、あの時ヨーロッパに独りで行けたのだから、大丈夫という自信につながっている。

パニック症候群は前妻の祟り？

ドック常連のL氏の奥様（35歳）から電話がある。この3カ月L夫人自身の具合が悪いとのこと。来院してもらうとパニック症候群だった。不安感が訳も無く起こり、外に出るとドキドキして来るため、家で寝てばかりいる。結婚して子供ができる前は看護師としてバリバリ働いていた経歴からか、ご主人はL夫人の具合が悪くても、相談にのるどころか全く我関せずという。近所の医者では碌に話しも聞いてもらえず、大量の抗鬱薬と睡眠剤を出され、余計不安が増す。世間では、医師、看護師は普段から身体に気をつけ健康的なイメージがある。ところが医療従事者でも、その不規則性、責任の重さから普通の人以上に病気しがちな人が多い。パニック症候群の場合、殆どが原因不明だが、ストレスがその原因の場合もある。最初は趣味の習い事での人間関係と悩けていたが、問題は病気で死別した夫の前妻にあった。

◇ただの偶然との割り切りが重要

結婚前夫から、前妻は心臓病で亡くなったと聞かされていた。ところが子供が2人できて数年経ってから、前妻の本当の死因がうつ病を患っての自殺だったことを夫から打ち明けられる。その時L夫人はもの凄く驚く。しかも毎年8月終りの命日に、夫は墓参りにさえ行かない。一昨年は同じ時期に上の子供がひどい喉頭炎で呼吸困難から、一つ間違えば命に関わるところだった。また去年は前妻の命日に下の子が飴を喉に詰まらせて大騒ぎになる。今年はL夫人が病気になり、前妻の祟りかと思うとよけい胸がドキドキしてきて、息苦しくなる。自分より子供に降り掛かってくるかと思うと怖くてたまらない。実際、夫も家族も自分が元看護師だったことで頼り切り、それも重圧になっている。

L夫人に出した処方箋は、まず子供や自分に起こった病気はただの偶然でしかないという割り切りである。パニック症候群にかかる人は悪いことをクローズアップして考えやすい。また目に見えない死人の霊より、眼前の生きている人の方がずっと怖いことを認識してもらう。その上でご主人とお墓参りに行くこと。もし嫌ならご主人だけでも行ってもらい前妻の霊を慰める。これは自分自身の気持ちを安定させるためである。どうしても辛い時には各種ビタミン剤を飲んでみる。ある種のビタミン剤は気分を楽にする作用があり、依存は起こらない。3カ月してメールが届く。環境は何一つ変わらないが抗うつ薬無しでも外出できる様になったとの嬉しい報告だった。

〝我が家〟へ帰ろう　バック・トゥ・ホーム

Iさん（主婦41歳）は不安神経症である。ちょっとでもお腹が痛くなり、下痢をするとガンではないか？　と思いこみ、暗い声で当院に電話してくる。今回もそうであった。2カ月前に注腸検査を行ない、大腸ガンが無いことを確認したばかりなのに、不安になってしまった。でも彼女が不安になるのも無理はない。ご両親が50歳代にて食道ガンと乳ガンで次々亡くなり、さらには4年前まだ40歳そこその最愛の兄を悪性リンパ腫で失っているからだ。子供もまだ8歳だし、自分が今死ぬわけにはいかない。そういう思いもあり、当院にいろいろな相談をよく持ちかけてくる。両親もなくなり、独身だった兄が一人で住んでいた家族の家が、住み人もないまま都心の真ん中、高層マンションの谷間に、ひっそり残っているという。家そのものは一級建築士の父親が建てたもので、この家を売らないで欲しいという遺言があり、売るに売れないでいる。建物の老朽化が激しいだけでなく、他人からみればガラクタ同然だが、幼い頃から家族で過ごした思い出の品々が沢山あり、どうしたらいいかわからなくなる。しかしそれら全てを処理するため、とうとう建物を取り壊すことにしたという。この話を聞いた時、私自身が育った家を時々見に行くことがあるのを思い出した。

◇老朽化した〝我が家〟を残す理由

私の元々の家は、ごみごみした住宅地にひしめきあい、互いに寄り沿って建つ20坪ほどのほぼ正方形の木造の2階屋である。私が幼稚園の時にその家を父が買い取り、途中で2階屋に改造し、それから高校2年生の秋まで過ごした。その後、近所にもう少し広めの家が売りに出たので、そこに引っ越す。だから、その家はもう私達のものではない。でも私自身が形成された〝我が家〟といって、大切な場所である。

医者になってから15年以上経ったある日、ふとその〝我が家〟がどうなったかを見に寄ってみた。すると回りの家々がマンションやアパートに様変わりしているのに、〝我が家〟だけは、多少外装を塗り直しただけで、私が育った時とほぼ変わらず、正方形のまま残っていた。その時には、びっくりした。夏は暑く、冬は寒かった家だが、未だにその家を買ってくれた方が建て替えもせず、大切にその家に住んでいて下さる。思わず涙が溢れそうになった。

以来、実家に寄る度にその家のために少し遠回りし、外からしばし立ち止まって覗く。その度に自分が育ってきた過程が、スナップショットのように蘇ってくる。何も分からなかった頃から多感な時期までのそれぞれの自分を思い返す。大変なこともあったが、今の自分があるのはこの家があったからなのだと強い郷愁に駆られる。そんな至福の時間を〝我が家〟は私に与えてくれる。私の話を聞いて、Iさんからもう少し家を残そうと思うとの連絡があった。週に1日位は、実家に残された品々を自分なりに思い出と一緒に整理してからでも遅くは無いと思ったという。もし損得勘定だけで、そのまま家を壊していたら、自分がだめになりそうな時の支えがまた一つ減ってしまうところだったと感謝された。

◇乳ガンが発見されてパニックに

その2年後、Iさんは当院にて乳ガンを発見される。もちろん早期だったが、不安神経症の彼女は、強度のパニックに陥る。早期というが、実は全身転移していて、もう自分は助からないのではないか？　夫と娘だけでうまくやっていけるのか？　一つ一つ説明しても、次の日になると、また新たな不安が起こり、当院へ何度も電話してきた。手術前に肝機能障害を起こすと嫌なため、抗不安薬は使いたくなかった。

そんな時である。Iさんの〝我が家〟のことを思い出したのは。Iさんに元いた家に暫く寝泊まりしてもらうことをお願いした。一人でいると不安になるからと、ご主人や娘さんにも協力してもらい、手術の前だけでも一緒にIさんの元の〝我が家〟に住んでもらった。

彼女の〝我が家〟は幸い今の家から電車で数駅のため、お嬢さんの通学は、朝夫に電車で駅まで送ってもらい、何の支障もなかった。そこで、亡くなったご両親とお兄さんのことをできるだけ思い出してもらう。楽しい思い出だけでなく、辛いことでも思い出したら、それはそれで大切な思い出として、ちゃんと向き合うことが大切である。今のIさんの住まいでは、なかなか昔のことは思い出さない。そして〝我が家〟での思い出をご主人やお嬢さんに聞いてもらうこと、誰もいない時に思い出したら、ノートにメモしておくことをお勧めした。

Iさんは、両親共に医者嫌いだったことをふと思い出した。症状があっても医者に行かない、ましてや人間ドックを受けた形跡など何もなかった。兄も自営業のため、ドックどころか検診さえやっていなかった。だからこそ、自分は30歳になるとすぐ人間ドックを受け、信頼できる先生も見つけられた。もしそれがなければ、両親や兄同様、手遅れになるまで放っておいただろう。むしろ反面教師として両親達が守ってくれているから、早期ガンで絶対に治ると確信したという。以来Iさんは，手術の日まで安心して待つ事が出来、無事手術も受けた。結果は最初の診断通り早期ガンで、術後の化学療法も必要なかった。大切な〝我が家〟を取り壊さなかったことで、今回の手術を乗り越えられたと、早期で乳ガンを発見したこと以上にIさんから再度感謝される。

PTSDからの脱却

Hさん（42歳男性）は暗い。一流大学工学部卒業、大企業の技術者だが、どうにも自信が無い。常に上司の顔色を気にしている。毎年いつも覇気の無い表情でドックの結果を聞いて帰る。ある時、左手の火傷の跡に気付き、どうしたのか尋ねた。「僕が4歳のとき、いうことを聞かないからと、実の母親がタバコの火を手に押し付けたのです」と幼児虐待の経験を寂しげに打ち明けた。小学校3年生の時、両親が離婚。幼い妹、弟を残し母親が家を出た。「怖いお袋で、いつもビクビクして彼女の顔色を窺っていた思い出しかない」正直ほっとしたという。時を待たず、父親が再婚。継母は比較的穏やかな人で、Hさんはすぐなじむ。3つ違いの妹は継母と反りが合わず、叔父のところに養女に行く。6つ下の弟も継母と仲が悪く、大学を中退し、家を出た。結局、継母とうまくやっていたのはHさんだけだった。でもそれは、ひどい目に合わないための自己防衛でしかなかった。実母から受けた体罰が心に深く焼きつき、親から愛された思い出はなかった。

◇PTSDにならないためにできること

それ以降来院のたび、「実のお母さん」について客観的に思い出してもらう。「怖い母親」という固定観念に捕われず、実母との関係でどんなことがあったかをただ振り返ってもらう。

3年後、Hさんが妙に明るい。どうしたのか聞いてみると、子供の小学校受験のため、学校の下見に車で行った時だった。その時、急に思い出したという。それはHさん自身の小学校受験のときのことだった。遠方で通学に車が必要だったため、免許のなかった実母が教習所に通い始めたのだった。その時、自分のために実母がしてくれた数々の思い出が次から次へと涌き上ってきて涙が止まらなくなったという。

PTSDという病気がある。過去にトラウマ（心的外傷）があり、それがストレスになって様々な症状を引き起こす。9月11日のニューヨークを襲ったテロ事件や3月11日の東日本大震災からPTSDになった人は多い。でも全員に症状が出るわけではないし、起きたことは変えられない。トラウマに対して傷ついたことだけを反復するのではなく、それ以外に自分が成長出来たことや感動したことなどの有無を違う視点から観て行くことが大切なのである。場合によっては、そのトラウマを覆してしまうほど、驚くべき素晴らしい真実や思い出が隠れていることも数多くある。

Hさんの手の傷は一生消えない。でも心の傷が完全に癒える日は近い。

農業でGO!

S氏（52歳）は1級建築士。ビル中心の設計事務所を仲の良い友人と経営している。そのため職場の人間関係ではストレスは少ない。ところが、このご時世で受注が減り、経営的ストレスが彼を圧迫していた。人間ドックでは、脳に行く頸動脈の血流速度が正常値の3分の2しかなく、明らかに低下。さらにその頸動脈の内側には32％にも及ぶ血栓がこびりつき、70歳代の狭窄度であった。血栓の一部が飛べば、そのまま脳梗塞で半身不随となる。

S氏はストレス解消にもっぱら酒、タバコを常とし、どうせ自分の人生だから太く短くでいいとよく口にしていた。それでも体調不良、慢性疲労、肩凝り、歯茎痛、夜中に不整脈で起きるのを繰り返していた。当然予防的治療が必要だった。でも決定的な病気が無い限り、先生より酒、タバコの方がつきあいが長いと、コントロールしなかった。運動療法のためゴルフも勧めたが、性に合わないという。このままだとS氏は5年以内に脳梗塞を起こす確率が普通の人の3、4倍も高い。毎年ドックで厳しく指導したが、彼は暖簾に腕押しで、のらりくらりとはぐらかした。ところが、初めて来院してから3年経った頃より顔色が少しずつよくなる。何か健康にいいことをしているのか聞いても、別に何もしていない、酒もタバコも続けているという。でもデータ的には改善傾向にあり、こちらとしては、ほっとしていた。

◇はにかみ屋のS氏の種明かし

脳梗塞の可能性が大である5年後のドック時に、S氏はある種明かしをしてくれた。「毎年先生と話してやっぱり何かしなきゃと思ったんです。そこでいろいろやってみて農業が性に合っていました。農業を始めてからタバコも体重も減り、土、日は早く寝て、酒は月一になりました。農作業は腰にきますが運動としてはばっちりです」なぜ今まで農業のことを教えてくれなかったのかを尋ねると「始めの頃は、辛くてこんなに続くとは思わなかったのです。三日坊主になりそうなのに胸張って言えません。また、やっていますと言った途端に止めてしまいそうな気がしましたから。でも一緒にやっていく仲間もでき、やっと3年経ちました」そうはにかんだS氏は大きな身体を小さくしながら、答えてくれた。S氏は人より強い創造意欲を持つ故に建築士になり、ビルを建てている。週末農業でも、自分のエネルギーの掛け方次第で、収穫物の質量共に決まる点では建築と同じという。創造意欲の高い人に予防医学の一環として農業が有効なことをS氏は身を持って教えてくれた。心より感謝したい。

思い出を変え、今を変える

S婦人は主婦（58歳女性）である。普段は糖尿病と胆石症の治療で通院されている。が、急にこの春になって全てが嫌になったと来院された。特に35年来連れ添った夫がどうしても嫌だという。何故かわからないが、彼の一挙手一投足がとにかく気に入らない。たまに夫が早く家に帰ってくると、返ってイライラする。またS婦人が病院に行く時も、具合も尋ねない夫の無感心さに頭に来る。糖尿病改善のため、3日と開けず通っていたゴルフ練習にも行く気になれず、家に篭りきりという。40歳台に罹ったうつ病の再発と本人はおっしゃる。確かに引き篭りはうつ病の症状だが、長年連れ添った夫に対してイライラ、頭に来るのは神経症を伴っている。「ご主人にイライラする原因として昔ご主人から酷い目に遭わされたことがありますか？」「それが先生大有りなんです」我が意を得たりとS婦人は話し始めた。

◇ろくに生活費も入れなかった夫

今は十二分以上の生活だが、18年前は夫が会社を起こしたばかりで、生活費もろくに入れてもらえない日々が何年も続いたそうである。子供の教育費用もままならず、音楽学校への進学も断念、買いたいものもできるだけ避け、なるべくファッション誌も見ないようにしてきた。子供の塾も通わせられず、自分で工夫して教えたりと大変だったという。夫は多少お酒は飲むがそれ以外、女遊びやギャンブルなどせず、いたって真面目でそれによる苦労は無かった。お金が無くて大変だった頃の思い出を話している時、S婦人の表情は生き生きして見えた。「Sさん、その当時を振りかえってのお話を伺っていると、大変だと言いながら、楽しそうに見えます」というと「そりゃあ、先生、お金は無くて大変だったけれど、子供達も小さかったし、楽しかったですよ」「お金が無くても、Sさんは随分工夫して遣って来られたんでしょう。トータルで見るとどうですか?」「無い知恵絞っていろいろやりました。ですから、トータルで見たら楽しかったですね、あの頃は」1時間もの話は無駄ではなかった。

この時S婦人の中で自分の辛い思い出が楽しい思い出にシフトしたのであった。彼女の抗うつ薬と眠剤はこの日から半分に減らせるようになった。また、あんな大変な目に遭わせた夫が憎いという気持ちや感情の高まりが薄れ、気持ちが楽になったという。この思い出のシフトというのは、S婦人自身が素直で、今恵まれた環境におり、じっくり時間をかけ、医師・患者間の信頼関係が十二分に形成された上で、初めてできることである。

感動は人を癒す

Kさんは商店街の呉服店の長女（40歳）。10年前から癌を患い手術・再発で闘病する父親の代わりに店を切盛りしていた。38歳で結婚、妊娠したのは好いが、絨毛上皮腫という癌に順ずる腫瘍ができ、大学病院に入院、抗癌剤治療を余儀なくされる。幸い無事完治。ところがその直後、3つ違いの妹が、夫の家庭内暴力を理由に離婚。10年来、酔った夫から妹は殴られ続けていたという。妹は小さい子供を2人も抱え、我慢していたが、ここに来て下の子が中学生になるのをきっかけに離婚に踏み切った。Kさんにとっては、妹夫婦で実家によく遊びに来ており、うまく行っているものと信じ込んでいたので、まさに寝耳に水であった。

不幸はまだ続く。コンピューター会社勤務の夫が上司と揉め、うつ病となり登社拒否。会社に行くように励ますと布団の中で身体全身が震え出す。心療内科の診断書を会社へ提出、休み始めてから元気になってきたが、このご時世では真っ先にリストラ対象になるだろうし、将来を考えると不安は拭い切れない。当然Kさんの人間ドックの結果は悪かった。萎縮性胃炎に鉄欠乏性貧血を認め、なかなかよくならなかった。

◇心が軽くなった、亡き父親の一言

不幸は留まる所を知らない。実家が原因不明の火事で全焼する。幸い父親は入院中、母親は少し離れた仕事場にいたので、難を逃れた。父親は再三再四に渡る癌再発のため、入院していたが、既に全身転移しており、もって3カ月だった。家族会議でもめた末、結局Kさんが話すことになった。「お父さん、ごめんなさい、家が燃えちゃったの」というと、病床の父親は起き上がり、しばし病室の窓から空を見上げた後「そうか、燃えたか」と感慨深く、頷いた。さらに「燃えてよかった。これでお前達を縛るものは何も無い。どこに行こうと自由だ。お前達の好きに何でもできるぞ」我が家が燃えてがっかりするか、怒鳴り散らすかと思っていたKさん達は、思わず父の言葉に号泣。次男だった父は、戦死した兄の代わりに、家を已む無く継いだが、本来は音楽をやりたかった。家に縛り付けられる必要が無くなったのを一番喜んだのは父だったと、当院の診療室でKさんは涙ながらに語ってくれた。3カ月後、父親が他界。相変わらず、夫は会社に行けず、店も繁盛しておらず、不安材料は沢山ある。でもKさんにとって、父親が最後に言った「お前達は自由だ」という言葉が胸に残り、父がいつも自分と一緒にいる気がして、心も身も軽い。

パーミッション・セラピー

人は思い出す度に、心が苛まれる出来事の一つ二つ持っている。でもそれを思い出すだけでパニックに陥り、日常生活に支障を来せば病気である。Kさん（32歳女性）は中学校教師、まさにその典型だった。授業中、教室をフラつく、私語をやめない、親との不和で常に歯向かう、そんな生徒達で、教室はさながら動物園のようだった。その酷さにKさんは教師の登校拒否に陥り、退職、実家で休んでいた。だが今度は学期途中でやめたことで自責の念が頭から離れない。夢で生徒が「先生、何故僕らを放り出したんだ？」とKさんを責める。これは幼い頃からの体験で作られた「～すべき」「～すべきではない」というフレーズが、そぐわない行動をとると、頭で自分自身を攻撃する典型例である。真面目なKさんの場合「教師はどんな生徒も受け入れるべき」「最後まで物事をやり通すべき」という強烈なフレーズが頭の中で蠢き、彼女の心を苛んでいた。だから新しい仕事につけない。少しでも誰かに批判されるとヒステリを起こす。頭での否定的なフレーズを止めるのに、抗うつ薬が有効だが、仕事や計算力も落ち、ぼうっとする。さらに頭のフレーズは今までの人生で学習、獲得、形成してきたものだから、無理に破壊すれば、今までの自分の人生も否定し、壊すことになる。

◇許し療法で自分を高みに押し上げる

Kさんに効いたのはパーミッションセラピー、訳せば許し療法となる。自分を責め立てるもの全てを許す療法である。例えば「中途半端に学校をやめた」「生徒がKさんを責める」「教師はどんな生徒も受け入れるべき」というフレーズを「退職はベストな選択」「Kさんを責めるのは生徒の問題」「～すべきは自分を守る頭の機能」と切り替え、過去、現在の自分の全てを許す。特に「私は自分を許します」「私は私を責める人達を許します」と何度も口に出し、ノートに書くのが効果的である。許すことで、今困っている問題が、一段高所からより客観的に観つめられ、他愛ない物に思えてくる。逆に自らを責めて精神的にまいると、自分をさらに追い込み、自分の居場所も不確かな奈落の底まで落とし込む。そこから許し療法で、一つ一つ積み上げ、より高所に自分を持っていくことが大切である。Kさんは、1カ月に10回以上起こっていたパニックや落ち込みが数回に減り、新たな職探しに意欲的に活動し始めた。そんな折、当院への紹介者のAさんと結婚することとなる。数年後、二人の男の子の母親となり、子育ての悩みはあるが、落ち込む暇もなく、元気に暮らしている。

2章　男のココロ

過緊張型神経症

U氏（36歳）はデザイン会社で10年勤務後、美容院の経営に乗り出し、順調に2軒の美容院を立ち上げる。将来100店舗以上のチェーン展開を目指す新進気鋭の経営者である。一見何の苦労もなさそうなU氏を苦しめているのが、対人での過度の緊張状態だった。美容院のスタッフと話していると、凄い緊張が起こる。顔の筋肉はこわばり、心臓がドキドキしてくる。冷や汗も出て、両手も痺れ、話を中断せざるを得ない。U氏にとっては、どんなに緊張して苦しくても、話のわかる素晴らしい経営者を演じたい。近所の内科医では特に異常はなく、精神安定剤の処方だけで根本的解決にはならなかった。唯一アルコールを飲むと緊張感が緩むため毎晩飲んでしまう。でもアルコール中毒が怖くなり，当院に来院する。

◇「カッコ好く見られたい」願望が過緊張の原因

総合人間ドックとカウンセリングの結果、U氏は他人から「カッコ好く見られたい」願望を心に強く持っていることがはっきりした。そのために過度の緊張が身体に起こるのだった。

解決法としてこの願望を完全に壊すか、誰がみてもカッコ好い人に整形するかのどちらかである。でも整形はきりがない。カッコ好く見られたい願望を完全に壊す方がずっと簡単である。そのためには従業員に直接「僕は人からカッコ好く見られたい」と打ち明けてしまうことである。でも自らの欲望を満たすために事業をやっているとは、U氏は死んでも言えない。それを大っぴらにすれば、従業員全員が一斉に辞めてしまうと思い込んでいた。また自らの欲望を大っぴらにすること自身、カッコ悪すぎて言い出せずにいた。でもどうだろうか？カッコ好く見られるために鏡を一々見て髪型を気にし、似合わない派手なスーツを着て、つんとすますことの繰り返し。でもカッコ好く見られたいことを直接周りの人々に打ち明け、どうしたらそう見えるか相談した方がてっとり早い。企業としてもカッコ好く見られるために、どうすればいいかを直接従業員に聞いた方が、素晴らしい案がどんどん飛び出るだろう。

U氏は最初、死ぬかと思うほど凄く緊張しながら、自分がカッコ好く思われるために独りで緊張しまくっていることを一番近い従業員に打ち明けてみた。すると従業員は単にそうなんですか、と軽く流すくらいで別に驚きもしなかった。それで気持ちの整理がついたと同時に不思議なくらい過度な緊張からくる症状が改善する。今は、「カッコ好く見られる」ことを会社の理念とし、社員および会社全体でそれを追求することに邁進している。

人事異動をきっかけに奇病が治る!?

Iさんは34歳、T大出身で某有名月刊誌の編集を手がけている。一昨年から体調が急に崩れはじめた。止まらない咳、慢性的な疲労感、胃部のむかつき、歯茎の腫れ、これらの症状が続くので何か悪いものかと、いろいろ病院を訪ねあらゆる検査を受けたが、結局原因不明だった。祈るような気持ちで当院の予防医学人間ドックを受診。ストレス検査の結果、燃え尽き症候群だった。しかしそれ以外、確かに癌や治療を要する病変は見つからなかった。燃え尽き症候群は、過度のストレスが長期に渡ることで起こる。しかし本人に聞いても、家庭も円満、仕事も順調で、ストレスになるものは何一つ思い当たらないという。疲労感や胃痛など症状が強く起こる度に、当院にて適宜検査をしたが、いつも何も出ない。その上でカウンセリングによる対症療法で、何とか長期で休まず、仕事をこなして来た。

◇同じ仕事でも、上司によって変わるストレス度と病気

当院に見えてから半年後、人事異動があった。その時、直属の上司の編集長がかわる。その途端、Ｉさんをあれほど苦しめていた症状が見事に消え去った。上司が燃え尽き症候群の原因と気づかなかった理由は、Ｉさんが有能でかつ性格が良いことから、前編集長からの信頼が厚く、いつも重要な仕事を任されていたからだ。Ｉさん自身もその仕事ぶりから前編集長を尊敬していたという。が、他の社員達は前編集長からよく怒鳴られ、厳しい口調で仕事のやり方を修正されていた。それを側で聞いていて、いつ自分も怒られるのかと常に職場では気を張りつめ、その編集長が求めてくる先々を読み、仕事をこなして来た。その無意識の緊張の連続が体調不良の原因だったといえる。Ｉさんの場合は人事異動がうまく作用したが、逆の場合も多々ある。

ある会社の調査で、ストレス度が高い部ほどインフルエンザの罹患率が高いことがわかっている。さらにはその部のストレス度はそのトップによって決まるという。つまりトップ次第で、その部全体の病気のなり易さが決まる。特に今回の例のように、仕事のできる有能な人でも、しょっちゅう回りの人達が怒られていると、自分も怒られるのではという怯えがストレスになり、全体的に部内のストレス度は高まる。これが、適度な人事異動によってストレス度が均等になればいいが、高ストレスの職場での勤務が長期間に及ぶと、今回のＩさんのような燃え尽き症候群、さらにはそれが長びけば、ガン、心筋梗塞、脳梗塞にもつながる。

◇上司は選べない、職場のストレスから自分を守る3つの方法

そうは言っても上司は選べない。だから人事異動で体調を崩し、病気にならないためには、自分で自分の身を守るしか無い。それには3つの方法がある。まず一つ目は、自分が職場でストレスまたは緊張を感じているかどうかを常に意識する。Iさんのようにストレスが高いのに、それが当たり前でストレスが無いと思い込んでいる人は多い。そういう人達は遅かれ早かれ、何らかの病気に陥る。ストレスの有無を感じるためには普段からリラックスしている必要性がある。リラックスとは呼吸がゆったりし、肩の力が抜け、心臓がドキドキせず、身体全体の力が適度に抜けた状態をいう。その内のどれか一つでも意識し、ゆったりさせることが大切である。ただしアルコールや薬物でのリラックスは、ただの神経麻痺で危険である。2つ目の方法は、同じ職場で働く仲間達に、普段ストレスを感じているかどうかを聞いてみることである。3、4人に30分ずつ聞けば、今いる職場のストレス度がわかる。アルコールが入ると本来より強調されるので、単なるお茶や食事だけで話を聞いた方がよい。

◇ストレスを起こす人と直接向き合う、これが一番難しいが効果的

3つ目の方法は、職場でストレスを感じる人がいたら、上司、同僚、部下に限らず一緒にいると緊張することを直接本人に伝えることである。緊張する理由はどうでもいい。ストレ

スがかかり、緊張したことを具体的に伝える。ただし、この方法が一番難しく、上司や職場の人達を怒らせる可能性も高い。だからこそ、伝える時の言葉と姿勢を慎重に選ぶ必要がある。特に相手とちゃんと向き合って話すことが大切である。ストレスを生み出す人に、2人以上の複数で相対すると、相手は身構え心を閉ざす。「あいつらは俺をつるし上げにきた」と反感を買う。また実際に話す時、相手に行動の改善を求めてはいけない。怒鳴らないで欲しいと言うと、火に油を注いだ如く、逆に怒鳴るようになる。例えば「隣で怒鳴るのを聞いて、胸がドキドキし、足が震えて仕事が手につかなくなりました」「頭が真っ白になり、何も考えられなくなりました」と自分が陥った状態を具体的に伝えた方が相手には効く。つまり自分がストレスを受けた時の身体の具体的な変化を伝えることが重要である。それを伝えると相手は怒鳴った時、回りの人の身体を傷つけていることを自覚するようになる。すると、怒鳴る回数は確実に減る。なぜなら誰も回りの人の身体や脳にダメージを与えようとは思っていないからだ。またそれでも怒鳴られた時は、自分の行動を冷静に振り返ってみる。上司がそこまで言うのは自分のことを本気で良くしようと思っていると捉えればストレス度は下がる。

これら3つの方法を全部やるのが望ましい。ただし、どれか一つやるだけでも、人事異動も無く上司が変わらなくても、職場でのストレス度は確実に下がる。調子の良くなったIさんは3年後、編集長に昇進、自分の経験を生かし、常に部下の体調を気にかけているという。

不倫に心の安らぎを求めてノイローゼに

K氏は大学で教鞭もとる38歳の新進気鋭のビジネスマンである。彼の手がける建築関連の仕事も順調で、クライアントからも引っ張りだこだった。K氏は太り気味だが、とても健康そうに見える。でも人間ドックの結果では、高血圧や年齢を10歳上回る動脈硬化症があり、その原因として食べ始めると止まらなくなる過食症があった。3カ月間に食事、運動指導を何度か試みたが、体重や血圧に関して著名な成果は出なかった。

それから1カ月後、急にK氏が来院する。「先生はストレスに詳しいようなので、ご相談したいことがあります」汗ばんだ顔に憔悴の色が見え隠れする。彼の相談事は不倫問題だった。K氏の中では、不倫相手との関係は終わったはずなのに、相手方はそう思っていなかった。時折携帯に電話してきて「今日来てくれないと死ぬから」と脅かされる。忙しい最中でも彼女のマンションを訪れ、説得に走る。当然血圧も上がるし、過食に走るのは当たり前だった。ただ問題柄、誰にも相談できず一人悩んでいた。

◇生活習慣病の原因は不倫ストレスから

不倫ストレスの相談は、圧倒的に男性の方が多い。30分以上に渡り、K氏は不倫相手との出会いから、揉めるようになるまで詳細に話してくれた。聞いてみれば、そのお相手はTVによく出てくるコメンテーターだった。話し終えて、K氏は実に晴れ晴れとした、いい顔をしていた。話して胸のつかえが降り、すっきりしたという。もし彼女が家庭や職場に乗り込んできたら、死のうとまで思い詰めていた。こういう話は週刊誌ではお馴染みで、読者の大半は死ぬほどのことではないと思う。しかし当事者は、天地がひっくり返るほどに思いつめている。だから抗うつ薬だけでは完治は望めない。また大した悩みではないという例を千個挙げても何も解決しない。相手の女性に一緒に謝っても逆効果だ。それよりなぜ不倫に走ってしまったのか、自分自身熟考することが大切である。K氏にもそれをしてもらう。すると、うまく行っているビジネスがいつまで続くのか、不安が常に駆け巡り、心配ばかりしていた。それを止めるのに不倫が手短で気持ちが一番安らぐと思っていたという。しかし、それがいつの間にか重荷になり、逆に心の負担となった。心が安らぐこととして不倫以外にないか相談したところ、K氏は「先生時折、相談に乗ってもらえませんか？　それが私には今一番安らぐ感じがします」今、月に1回、N氏と心の安らぎについてゆっくりと話し合う。

上には上がいる、トラブル、悩み事も同じ

「あれは先生のブラックジョークかと思いましたよ。」Rさんは診療室で笑いながら「不倫に心の安らぎを求めてノイローゼに」（前回分）を読んでの感想を語ってくれた。R氏は55歳、ある優良な中小企業のオーナー社長。自分も36歳の頃、不倫で非常に大きなストレスを抱えたことがあったと、その時の体験を語ってくれた。「僕の時には相手に子供ができるは、女房にばれるはで毎日会社に出ても仕事が手につかないし、家にいても女房の目が怖くて休まらない、まさに針のムシロ状態でした。今みたいに携帯の無い時代でしたから、電話がかかってくる度にドキドキもので、あんなストレスは2度と味わいたくないですね」その後10年後にC型肝炎が悪化し肝硬変に陥るがその不倫ストレスも大いに関係しているという。現在はその肝硬変も新薬の治療によって改善し元気そのものである。

◇大社長からの助言が福音に

ブラックジョークといった意味は、先生への相談だけでは問題解決に到らない。きちっと相手の女性と話し合い、別れるために何をすべきか教えてもらうのが先決なのに悠長だと思ったからだ。R氏自身そこに到達するために弁護士を含め、いろいろな人に相談したという。「この方は幸せですよね。悩みをここに来て吐き出せるんですから。僕の時は、まだ先生がいなかったし、弱みを見せるのだから相手を選んで、しかも言葉を選んで慎重に相談しなきゃいけなかったので大変でした」結局、当時の一流大企業の社長さんから言われた一言で救われた。それは「R君、女に惚れてのトラブルではどんなに高くても2、3千万円程度だろう。でも男に惚れて事業を任せてみろ。トラブルになればそんなもんじゃない。2、30億の金がすぐぶっ飛ぶ。だからまだ君は女でよかったよ。しかもその時は楽しかっただろう」とそれこそブラックジョーク的助言だったが、R氏にはまさにヒーリングを感じさせる福音だった。どんなトラブルでも上には上がいる。自分のはまだ恵まれている方だと感じられれば、気持ちも楽になる。すると冷静になって対処でき、トラブルから脱出しやすい。

R氏はその時の大社長の名言とストレスを肝に銘じ、できるだけ女性に溺れないようにしてきた。さらには何か会社の事でも、少しでも何かトラブルがあると、当院にすぐに相談に見える。それが高じてか、現在80歳になるが、未だ現役で元気そのものである。

思いやりに欠ける人（コミュニケーションの仕方わからず）

U氏（49歳男性）は元国営が民営化した会社の技術職で、15年来当院に来てくれている。でも実は彼への診察は苦痛だった。こういうのは医者として己の未熟さを暴露するようで恥ずかしい。でも長年、彼を診続けての結論だから仕方がない。昨今の経済状況から来てくれるのはありがたいが、予約の入っている前日から私のストレスレベルは上がった。当初は年1度の人間ドックと半年後の再検査と年2回の診察だけだった。だが6年前から急激にU氏の血液中のコレステロールと中性脂肪が上昇し、高血圧も併発。放っておけば膵炎や心筋梗塞の可能性があり、投薬を始めたため頻繁に診察せざるを得なくなった。

◇相手の思いを汲み取れない

U氏の何が嫌なのか？　それはU氏との会話のやり取りである。診療中、食事や運動について具体的に指導するが、まともな返事が返って来ない。その上データが悪くなった時は、指導が悪いから改善できないという。他にもコレステロール値を下げる為、肉食より魚介類を勧めても「肉より魚の方が高いから魚は食べられない。どうしても食べろというなら、お金出してよ」とお門違いのことをのたまう。最初は冗談かと笑って聞いていたが、何度も言うU氏は本気だった。それでも我慢し、ストレスについて優しく聞くと、お嫁さんが見つからないのが彼にとって最大のストレスだという。小太りの体型に今風の若者が着る派手なシャツは似合わない。が、女性にモテたいためにアパレルの女性店員さんに見立ててもらうが、どう見てもちぐはぐでおかしな印象が強い。未婚者のためのお見合いパーティーにもよく出かけた。それにはお金を惜しまない。彼の悩みはパーティーで話が盛り上がるが、いざデートに誘うと体よく断わられる。どうしたらいいか、女性との接し方を真剣に話しても「お宅には女性が多く働いているのだから、一人ぐらい看護師さんを僕に回してよ」と言う。これにはぶち切れた。当院の大切な医療スタッフを何で洋服の趣味も口も性格も悪いU氏に紹介しなきゃいけないのか？　呆れて愛想が尽きた。U氏は、相手の思いを察しないどころか、逆に怒らせるようなコミュニケーションの取り方をするのであった。

「相手の気持ちを察する思いやり」がコミュニケーションの基本である。それがU氏には全く感じられない。お嫁さんどころか、ガールフレンドもできないのは当然だった。思いやりを養い、女性に限らず、人と円滑にコミュニケーションを取るためのカウンセリングを何度もした。でもダメだった。結局U氏は、都合の悪いことはすべて人のせいにした。自分自身と向き合い、自分を変えることはできなかった。コレステロールと体重は益々増え、血圧も上がっていく。食事・運動療法も、仕事のせいにして自らやろうとしない。

ところが、ある時転機が訪れた。それは50歳になる時には、今の会社には残れないというリストラの最後通達だった。これはU氏にとって青天の霹靂だった。何故なら国営時の入社だから、民営化後も65歳まで会社が面倒見てくれると高を括っていたからである。だから仕事もそこそこで大きなミスさえなければよかった。ミスしても人のせいにすればよかった。それがU氏の人格の根幹を成していたのだ。予防できないのは会社のせい、病気になるのも人のせいだった。良くなる訳がない。でもお見合いパーティーどころか、U氏は50歳からの自分の生計さえ危うい。来院の度、将来の生計に対する相談があり、結局U氏が昔から憧れていた喫茶店をやる事にした。ランチも出す為、調理師の免許も必要で、土日学校に通う。コーヒーも他店との違いを出すため、豆から学ぶ。喫茶店の目玉商品のケーキ類もいくつか考案し、作ってみた。

◇生きがい持てば人は変われる

開業準備に忙しく来院できず、薬も切れ3カ月経つ。倒れては元も子もないと、当院から呼び出し検査した。ところが不思議な事に、薬を飲んでいないのに高脂血症、高血圧は改善し、危険域から安全域に入っていた。これには驚いた。開業準備で焦るU氏はストレスが高い。だから酷いコレステロール値を予想したのが、逆に改善していた。さらに半年後の人間ドックでも、血液データ、血圧はより改善、安定化し、投薬は必要なくなった。オリジナルのりんごパイの話をしている時、U氏は生き生きしていた。結婚後に住もうと思って買った家も、1階を喫茶店に2階を自分の住まいにと改造した。今まで「何故俺のところに嫁さんが来ないのか?」と腐っていたU氏とは別人だった。今どんな気分か聞くと、まだ開業前で不安だが毎日充実しているという。病気やお嫁さんの話よりも、1日何人喫茶店に来れば、採算が取れるという話を繰り返しU氏は語るようになる。データは改善したので、半年に一度来院すれば良くなったが、生まれ変わった態度のU氏ならば毎月でも来て欲しい。できれば、U氏の事業がこの不況の中でも上手く行くことを祈る。それを伝えたところ、U氏は「上手く行くに決まってますよ。それより開業したら一度寄ってよ」と元気にはつらつと答えてくれた。

なぜ下からの突き上げが？——反発社員に感謝

T氏（47歳男性）は、某市役所の総務部勤務で年末に課長に昇進。普通は張り切るはずだが、とても落ち込んでいた。なぜなら平の時についた残業代はなくなり、休みも取りづらい。T氏は、奥さんから趣味というより仕事でしょうと嫌味を言われるほど、ゴルフに入れ込んでいた。ゴールデンウイークや夏休みには、国内外問わず、ゴルフ合宿に参加していたが、それも間々ならなくなる。部下は従来の2人から8人に増え、大変になったとこぼす。でも一応仕事だからと、課独自のミーティングを何度もやり、何かと気配りしてきた。そんな折、上司の部長から、今まで人事部で行ってきた新年度の新人研修を今年から総務部でも担ってもらうから、よろしくとの命を受けた。

T氏はより落ち込む。本来人事部の仕事を、なぜ総務部も一緒にやらなければならないのか？　役所への部長の点数稼ぎとしか思えなかった。また総務部の仕事は元来年度末は忙しい。それでも仕事だからと、部下を全員集め、新人研修をやることになった旨と、各々の役割分担を決めた。ところが、部下の女性6人が猛反対した。残りの男性2名も女性陣の勢いに負け、T氏1人に部下8名が対立する。元々やりたくなかったが、課長としての初仕事だったためT氏もムキになる。この仕事は課の面子をかけて、絶対やると力でねじ伏せようとした。部下達はよけい反発する。中でも普段からT氏が目をかけていた30歳の美人女性社員が、今まで経験のない総務部で急に研修を行うのは、新入社員にとって気の毒であるという、至極最もな意見を滔々と述べ、他の社員を煽動する。会議は紛糾したが、最後にはT氏の強引な説得で、何とかやることになった。でも「割り振りは自分達で決めますから、課長は席をはずして下さい」と部下から否応無しにいわれる。ちょうど夕方6時過ぎで、そのまま部下達に任せてT氏は退社した。

◇ストレスから花粉症ばかりか高血圧症も悪化

翌日、いつもと同じように出社するが、誰一人部下は挨拶しない。どころか、完全に無視された。仕事の報告も最低限しか口をきかない。その上午後になると「課長、研修が入ったため、私達ができなくなった仕事をまとめましたので、やっておいてください」と机の上に、両手で丸々二抱え程の書類をどーんとおいた。「いつまでにやらなきゃならないんだ?」と聞いても、例の美人社員が「課長の思うままで宜しいんじゃないんですか?」と冷ややかな返事。男性社員からやっと期限を聞き出すと、1週間以内だという。必死になってその日から週末まで、毎日残業で午前様になる。まるでテレビドラマのような社内苛めに遭ったとT氏は語る。そのせいか、いつもの花粉症がよりひどく、鼻水も目のかゆみも止まらない。さらには持病の高血圧も悪化、降圧剤が効かず、140／90mmHgを常に上回り、急遽当院に来られる。確かに食事、運動共に気をつけ、いつものアルコールもそれ程飲んでいなかった。というより飲む気にもならない。花粉症も血圧もストレスから症状が悪化した。「先生、酷い目に遭いました。特に見た目のいい若い女性が怖いですね。みんなを扇動しておいて、研修前の週に自分だけ休暇を取るんですから。でも何で今回はこんなに反発されるのか、全くわかりません」また同じことが起こるかもしれないと怯えるT氏。冷静になってもらい、最初から話してもらうと、今回の新たな研修では、部下全員がフレッシュマンの前で講義するという。T氏は何もしない。理由は、この手の研修講義は散々やっており、講師をすると勉強になるからと、部下全員に手分けしたという。これがT氏が総スカンを食らった最大の原因である。

T氏が部長に対して思ったように、部下も課長の点数稼ぎで引き受けた仕事と詮索したのである。特に一番忙しい時や大変な時に、上司が率先してやるべきなのに、仕事の振り分け時には、早く帰り、肝心の研修では何もしないで傍観者でいる。見方によっては、失敗した時の責任は部下に押し付けて自分だけいいとこ取りするように見える。第三者的に客観的に見れば、推測はつく。美人社員の性格の悪さから来ると言うのは、全くの見当外れで、そういう面を引き出したのはＴ氏である。当事者は本当のところが見えない。でも総スカンの理由がわかり、Ｔ氏は安心する。これからは同じ轍を踏まないようにするという。でも急な仕事やきつい仕事を上司の自分が率先してやっても、今の上司と部下との関係では、最低５、６回は痛い目に遭うものと思っていた方がいいと忠告する。覆水盆に返らずである。

◇反発した部下に逆に感謝

数年後、それ以来気をつけていたせいか、特に部下の反発もなく、無事に業務を遂行でき、課を代わることになる。移動にあたり、あの美人社員がある告白をしてきた。それはあのフレッシュマン業務を担うことになった時のことだった。あの時、既に友人との旅行の予定が半年前から決まっており、どうしてもそれがキャンセルできず、反対したという。他の職員もみんな知っていて協力してくれたというから、なんだ、そうだったのかとこの数年部下に気を使いすぎたと思った。「でもあの後、課長は私達の話を良く聞いてくれて、相談もなく強引に仕事を押し付けなかったし、本当に仕事しやすかったです。有り難うございました」

あの反発があったからこそ、部下に頭から押し付けない、辛い時は部下と一緒に仕事を行う習慣が身についた。逆にその美人社員にお礼を言ったというから、Ｔ氏の成長は著しい。

ボクシングに安らぎを求めて

S氏（45歳、システムエンジニア）はいつも腐っていた。仕事もプライベートも何もかも面白くない。本来コンピューターシステムの仕事のはずが、会社都合でコピーやファックス、書類整理などのオフィス雑務をやらされている。結婚どころか異性の友人もいない。全ての人が自分を見下している気がして、人生そのものが嫌になっていた。彼とは、あるセミナーを通して出会い、20年来の付き合いになる。当院が開設当初から、腹痛が起こり易いから、人間ドックでよく診て欲しいと来るようになった。だから友人かつ大のお得意様である。普段はとても良い人だが、一度納得行かないことや都合の悪いことが起こると、とことん相手とやりあう。それが上司、顧客、友人、主治医だろうがお構い無し、かっとなると見境がつかなくなる。でも身長160㎝足らず、体重も55kgと小柄で、腕力は無い。猛烈に相手を口で攻撃するが手は出さない。だからか友達も少なく、唯一親友が、夜一人で寄る中華料理屋の店長で、彼との会話がS氏には唯一の心のやすらぎだった。ところがS氏は人間ドックでひどい脂肪肝が見つかる。だから中華料理屋に行っても、アルコールは控えて欲しいと言うと、猛烈に反発した。終いには肝臓ガンで死んでもいいとまで言い出すから始末に負えない。

◇女性店員のよいしょで、頭皮エステに大枚支払う

そんなS氏だからか、人からよいしょされると、天にも上る気持ちになり、幾らでもお金を出す。ある時ドック時に、再検査は絶対に受けないという。当院ではドックで少しでも悪い部分があると予防医学的に改善するため、3カ月毎にフォローアップする。それが再検査だった。長年通うS氏は、その重要性を知っているし、普通に働いていれば払えない額ではない。それなのに受けたくないと言い張る。「最近、お金のかかるものを買ったり、株で損でもしたのですか？」すると、彼は頭皮をよく診て欲しいという。確かにS氏の髪の毛は細く、柔らかく、将来的には禿げそうだった。特に年々生え際の後退が目立ち、彼は禿げの前兆と怯えていた。そのため頭皮のエステに、ここ2年ほど通っているという。しかもそこの女性店員にうまく乗せられ、入会金と1年分の費用をまとめて相当額を支払う。その効果として、生え際の後退が改善していると言い張るが、どう診ても効果は無さそうだった。もっと安価で医学的根拠のある増毛法があると説明しても、頑として受け付けない。最後にはもう来ないと捨て台詞を吐く。でも時が経つと、何食わぬ顔で来院した。S氏が髪の毛に拘る

のは、恋愛できないことに原因があった。禿げたらもっと誰も寄り付かなくなると思いこんでいた。

◇女性にモテない本当の理由

コンサルテーションでは、椅子にふんぞり返り、足を組み、話を真摯に聞く態度ではない。長年付き合っている小生でも、目に余るものがあった。彼の短気で自己中心的な性格は、S氏の父親譲りだという。母親は、彼が幼稚園から大学生になるまで、別居していたので殆ど父親に育てられる。その父親が普段からS氏に威張り散らし、やることなすこと全否定してきた。例えばS氏が掃除を一生懸命やっても、父親は誉めるどころか、掃除の仕方が賢くないと、こんこんと説教した。だからなのかS氏は、何をやっても自信がもてない。その自信の無さから、女性と向き合った時に、何も話せず、ただ緊張して身構えてしまう。女性と仲良くなれない原因はそれだった。また職場では、いつも怒っている、眉間に皺寄せていると同僚からよく言われた。システム・エンジニアとして働いていた派遣先で、口喧嘩になり、派遣元の会社に戻された。その上、上司とも言い合いになり、オフィスの雑用係りになった。その分給料も下がる。しかも交代制だが夜中のシフト勤務が多くなる。確かに人生面白くはないだろう。でも全ては彼自身が引き起こしたことであった。彼には、リラックス法もいろいろ試したが、効果がなかった。そこで運動でストレスを発散するように何度も強く勧めた。

諦めていたボクシングを始める

半年後再来院した彼を見て驚いた。あんなにお金を掛けていた髪をばっさり切り、五分刈りにしてきた。さらには診察室に出入りする時の立ち居振舞いもスポーツマンの様にきびきびし、清々しい。目も生き生きし、背筋が伸び、しっかりと90度の角度まで背中を折り曲げお辞儀をする。聞くと、ボクシングジムにここ半年通っているという。昔からやりたかったが、どうせ自分には無理と諦めていた。ただ当院でスポーツをしてみろとしつこく言われたのが、きっかけで始めてみた。実際やってみて苦しい。でも思いきり汗をかいた後の爽快感は体験したことがないほど気持ちよかった。逆に長い髪がうざくなる。ばっさり五分刈りにしたら、何で今まであんなに髪に拘っていたのだろうとすっきりしたという。髪だけではない。ボクシングの練習を重ねるうちに、頭の中で、いかにどうでもいいことにネチネチ自分が拘っていたかが、客観的に見えるようになる。さらに驚いたことに彼女もできたと、あのS氏が顔を赤らめて報告してきた。そのためか、頭に来ることや人との言い争いが極端に減る。彼の生まれ変わった姿勢を見ていると、システムエンジニアとして復活する日も近い。

頑張れ、S氏。

心のカミングアウト

Ｋ氏（33歳）は某大企業に勤める真面目な青年であった。仕事の内容については彼のプライバシーを守るために詳しくはお話できない。が、彼は自分よりも人のために身を粉にして仕事に打ち込むタイプだった。その真面目なＫ氏を悩ませているのが田舎の両親からの執拗なまでの「結婚しろ」コール。実はＫ氏には結婚できない訳があったのだった。

ある日、Ｋ氏は小生と2人きりで話がしたいという。そのため医師と患者との会話記録のため同席してもらう看護師さんには診察室から出てもらう。患者さんのプライバシーを守るため当院の診察室は完全個室であり、外に二人の会話が漏れることはない。そこでＫ氏が私に打ち明けてくれたのは、驚くべきことだった。

「先生にカミングアウトしたいのですが、いいですか?」好青年なのだが、どこか横顔に影のあるＫ氏がとうとうそのストレスの原因を話してくれるのだなと少し緊張した。

「僕でよかったら喜んで伺いますよ」

◇中学生の頃から悩んで来たこと

「実は僕、ゲイなんです。中学生の頃にはもう同級生の男の子を異性として意識していました。先生のところに来る前に悩んでいろいろな療法をしてみたのですが、やっぱりこればかりは治せず、先天異常とあきらめました。でも今回先生にお話を聞いてもらったのは、僕がゲイであることを両親にカミングアウトするための練習なんです。すみません」

聞いてやはり動揺した。でもK氏には気付かれないように、平静を装って聞き返した。

「そうですか。でも話してみて気分はどうですか？」

「ずっと話そう、今回がだめなら次回と思い悩んでいました。が、なかなか勇気が湧かず、そのままにしていました。でも先生ならちゃんと聞いてくれそうだと前から思っていたので、やっぱり話してよかったです。これで両親にもはっきり話せそうです」

K氏は田舎に帰り、両親や妹に打ち明けた。母親と妹は受け入れてくれたが、父親は最後まで信じないという頑なな態度だったという。「でもいつかは父もわかってくれると思います」そう語るK氏の表情は、長い間しょってきた重い荷物をやっと降ろしたかのように晴れ晴れしていた。K氏からのカミングアウトがあって、すぐに大切な人も診て欲しいとK氏より若い男性を人間ドックに連れてきてくれた。以来10年以上経つが、K氏はより一層の信頼感を当院に寄せてくれているようで、年1回の人間ドックと再検査を欠かしたことがない。

男の妬み嫉みは性質が悪い

男の妬み嫉みは女のそれより性質が悪い。K氏（39歳男性）は地方にて小売業を営む。若いながら10数名の若い男性達を雇い、商いに励んでいる。ところが最近、景気のせいか営業成績がよくない。そんな中昔からT氏を支えている総務部長のA氏から会社を辞めたいとの申し出があった。長年頑張ってくれた総務部長が辞めたいと言って来た理由は1年前に新たに入れた営業部長にあった。K氏は少しでも営業力を強化しようと、この営業部長と接する時間を多く割いた。ところがあまり売り上げはよくはならなかった。そのためか、その営業部長とほぼ同い年のA総務部長から、営業部長を首にして、今まで通り社長であるT氏が営業部長も兼ねて会社を建て直した方がよいという進言を何度も受けていた。

◇長年勤める総務部長の秘めたる嫉妬心

K氏は営業力強化のため営業部長をわざわざ外から招いた営業部長なだけにA氏の意見を

そのまま鵜呑みにはできなかった。でも有能なA氏を失うのは片腕をもぎ取られるも同然だった。当院の人間ドックで十二指腸潰瘍やコレステロールの急な上昇を指摘されるほど、K氏は悩んでいた。相談を受け、心理的にストレスを取る方法として「話し合いではなく、A氏と毎日食事も含め、できるだけ一緒に過ごすこと」を提案した。なぜならA氏はK氏の人柄が好きであり、さらにはK氏から頼られているという自負心から長年連れ添い、頑張ってきた人間だからである。それが、たかが1年前から来た営業部長に大きな顔をされ、社長もA氏よりその営業部長といつも一緒にいて重要視し、営業部長に自分の親友を取られたような嫉妬心がA氏の中に在ることが手に取るようにわかる。わからないのは当の社長だけであった。男の嫉妬心は表面に表われない分だけ女性のそれより性質が悪く、尾を引く。例えば大企業での派閥争いで、負けた方の派閥は、会社にとってどんなに優秀で有能な人間でさえも末端まで左遷されてしまうのをみればよくわかる。坊主憎けりゃ袈裟まで憎いで根が深い。

K氏はそれで全てが理解できたという。今までは単に営業成績が下がったことでA氏との関係が崩れたものと考えていた。が、A氏の心の底に秘めた、どろどろとした嫉妬心に気づいたことで、解決策が幾つも浮かび、頭の中の霧が晴れたようだと喜ぶ。その後、すぐ地元に戻り、A氏との交流を今まで以上に深めるようにしたところ、A氏は会社に残ることになり、会社の建て直しを思い切ってできるようになったという。

リストラ断行でギランバレー症候群に

D氏（37歳）は中堅建設会社社長。当院のストレス・ドックで、普通の人の3倍以上のストレス度が出て異常だった。仕事でこの半年以上リストラばかりしているという。特に育ち盛りの子供を持つ中堅社員に仕事をやめてもらうよう説得するのが、自分も子供を持つ身だけに一番応える。でも涙をこらえてやらなければ会社が危ない。ストレスからタバコも60本以上とやめられない。充分寝た時でも身体が疲弊していた。ある日、朝起きて手足に力が入らない。整形外科領域かと思ったが、念のため当院に来院する。診察の結果、両手を持ち上げにくい、両足で立つのもだるく、ギランバレー症候群を疑った。この病気の特徴は急に手足の運動神経麻痺が起こり、ひどい場合、呼吸筋にまで麻痺が及び、死亡することもある恐い病気である。緊急で救急車にて、大学病院に送る。本人も元気で大袈裟すぎると断ったが、万が一のためと無理やり救急車に乗り来んでもらう。大学病院の医師達もD氏が救急車で送られて来た時、軽症患者を扱うように診察もそこそこで終わる。

◇大学病院では軽症扱い、でも一晩経って重症化

念のための入院となった。誰もが当院の診断を疑問視していた。次の日早朝、D氏の呼吸が急に止まった。慌てて人工呼吸器につなぎ一命を取り留める。もし自宅に返していたら、還らぬ人だった。誰もが当院の診断と判断の正しさに気づく。ギランバレー症候群の原因はまだはっきりしていない。ただ手足の麻痺が起こる2、3週間前に風邪に似た症状や下痢が1週間程続くことが多い。D氏の場合にも3週間前に下痢が5日程続いていた。この病気は手足の麻痺も2、3週間で戻るのが普通だが、稀に呼吸筋の麻痺から突然死に到るケースもある。残念ながら、彼の場合、最悪のコースをたどり、その後1年間の闘病生活を余儀なくさせられた。ただ、この適切な判断ができたのも彼が当院での人間ドックを以前から受診していたことに寄る。高ストレス、低免疫力なのが事前にわかっていたことが決め手だった。

D氏の今の会社は昔から世話になった親戚筋の会社だった。社長を降りたかったが、義理堅い彼は誰にも任せず頑張ってしまう。一流私立大学出の育ちが良く、優しい性格のD氏にとって、血も涙もないリストラ断行は相当なダメージだったといえる。1年経ち、彼は会社に復帰する。ベッド上での生活が長かったせいで、足の筋肉が弱り、杖をついての出勤となる。しかし生きて戻って来られて、非常に感慨深いものがあった。そして、この貴重な経験を生かしD氏はもう2度とリストラをしないで済む会社にすることを心に誓ったのだった。

男の隠れ家の勧め

H氏（45歳男性）は一級建築士。義父の建築事務所に2年前から勤め始める。周りからみれば有名建築事務所長を将来約束されており、羨ましい話である。義父は業界でも一目置かれる有名人と同時に個性が強い。ワンマン所長で従業員もどんどん変わる。H氏の入所時も長年勤めたベテラン建築士がやめる寸前「君もこれから大変だよ」と引継ぎ時に囁かれた。一月も経たずにその意味がわかった。義父は気に入らないと誰彼構わず、怒鳴り散らし、話にならない。どんな正論も、義父の虫の居所が悪い時は、大悪論になってしまうのであった。「先生、コレステロールが上がったのはストレスですか?」確かにH氏が義父の事務所にくる前のドックデータでは正常だったコレステロール値が入所後1年で上昇し、体重も確実に増えている。奥さんも心配してくれるが、実の娘なだけに、父親である所長の悪口を言うのは可哀想で、家でストレスの発散は望めない。他人なら事務所をやめて済むが、離婚も付いてくるのでやめられない。コレステロールは食事だけでなく、ストレスでも上昇する。

◇飲み屋以外の男の隠れ家

ストレス解消の一つとして、40歳ぐらいになると、会社の仲間も家族も連れて行かない飲み屋の1、2軒を確保している人が多い。しかし、酒好きでないH氏にとってはそういう飲み屋には行く気がしないという。そこで某有名社会学者との対談の話をした。それは時節柄会社でも厳しくチェックされる40歳代の男がまともに仕事をし、家庭を支えていく原動力として、飲まない人でも男の隠れ家が必要であるという結論に達した話である。

入所後2年経ち、H氏のデータは随分改善していた。指示通りの食事・運動療法だけでなく、ストレスの解消もしているという。「先生とのお話の中で、やはり私には隠れ家が必要と思い、安アパートを一部屋借りたら、凄く気持ちが休まりました」それは事務所と家との間にある。土、日に事務所に行くと義父もよく来ており、いつ怒鳴られるか、びくびくもので仕事にならない。だから誰にも気がねない場所がH氏には必要だった。そこでは自分のペースで仕事ができ、疲れたら横にもなれた。狭いながらも自分の城であり、心から寛げる。また誰からも干渉されない自由感からか同じ仕事でも、凄く捗る。さらには少年の頃、木の上に秘密の隠れ家を作った時のワクワク感が蘇り、楽しいという。遅かれ早かれH氏の奥さんには彼のささやかな秘密はばれるだろう。でも、もしH氏にまともに長く働いてほしいならば、飲み屋に通い詰めるより廉価で健康に好いと割り切り、そっとしておいてあげて欲しい。

3章

女のココロ

ピーナッツまたはステーキの選択

昔々ある貧しい国に、カーチという中年男がいました。彼は、一生食べるに困らないほどのピーナッツの入った巨大な瓶を持っていました。ただ少々ピーナッツにも飽きていました。でもこの貧しい国では俺は恵まれているのだと自分に言い聞かせていました。

ある晴れた日、どこからともなく美味しそうなステーキの香りが漂ってくるではありませんか。カーチは思いました。「どこかでステーキを焼いている。ああ、なんて香ばしい匂いなんだろう？　食べてみたいなあ…」でもその場を離れると貧しい国のことです。誰かにカーチの一生食べていける瓶は盗られてしまうでしょう。しかもステーキは匂いだけで、実物は見えていません。もし瓶を捨ててステーキを探しに行っても、それにありつける保証はどこにもありません。カーチは悩みました。このまま大分飽きてきたピーナッツを残りの人生ずっと食べ続けるのか？　それとも冒険してステーキを探しにいくのか？

さてあなたがカーチなら、どちらを選びますか？

◇離婚問題で一人悩む

同じ質問を離婚問題で悩み、カウンセリングに通っていたKさん（48歳女性、商社一般職）に投げかけた。Kさんの夫は結婚までは、とても優しく信頼できた。ところが新婚旅行以降、お前は俺のものという態度に豹変、性格の悪さが見え、失望した。でもすぐ子供が2人でき、子供のためと我慢し続けた。その子供達も成人式を迎え、Kさんは考え込む。子供達もそんなに嫌ならと離婚を勧めてくれたが、なかなか踏み切れない。今のままなら住む家も、食べるのにも困らない。Kさんは離婚後の生活の不安定さが怖くて、別れられなかった。でも離婚して、新たな人生が開ける可能性も十分ある。カウンセリングでは、直接こうした方がよいと明確な方向性を示すことは極力避ける。それがうまく行かなかった場合にトラブルになるからである。Kさんはカーチの話を聞き、ステーキを選んだ。自分の中の迷いが吹っ切れる思いがしたという。3年経ち、以前よりも若々しく元気な姿で人間ドックにみえた。「離婚してよかったです。ただ生活を安定させるのは大変でした。特に元夫が同じ職場で、相当嫌がらせをされました」正直後悔したこともあったという。「でも子供を含め、多くの人が助けて下さいました」今は余裕もでき、本当に良かったと思えるようになってきた。「私にとっては、助けて下さった方々との出会いが、ステーキでした」ピーナッツとステーキはどちらを選んでも正解。でも自分がそれを選んだという強い意識と満足感が必要なのである。

「先生、私うつじゃないでしょうか？」

「先生、私うつ病じゃないでしょうか？」そう言って、年1度の人間ドックでしか来院しないT子さん（47歳）が突然来院する。彼女は子供3人を持つ主婦で、夫は不動産業を営む。都内の億ションに住み、何一つ不自由無い幸せな生活を送っているように見えた。

仕立ての良い上品な服装とおっとりした物言いで、良い所のお嬢様なのが誰にもわかる。でも本人はしっかりした信念を持ち、実行の人だった。下の子が中学生に上がると、主婦業の傍ら、2年間専門学校に通い、ケア・マネージャーの資格を取る。その後特別養護老人ホームで週3日働く。なぜ生活が安定しているのに老人ホームで働くのか？と聞く。するとT子さんは老人がとても好きで常々老人のお世話をしてあげたいと思っていたからだという。

その後3年間は老人のケアが楽しいと、毎年人間ドックの度に言っておられた。だが4年目には大分疲れた様子で受診。幾らケアしてあげても老人は良くなるどころか、最後は病院で亡くなるしかなく、やり甲斐を失う。と同時に自分の老後を垣間見たとがっかりしていた。

◇うつ病の原因は手術よりも夫

そのドックから10カ月後の突然の来院だった。今までの疲れ方と違い、何もやる気が起きない。食欲も無く、体重も2カ月で7kgやせた。このまま、すーっと自分が消えてなくなればいいという。不眠もあり、確かにT子さんはうつ病だった。落ち込む原因はあった。T子さんは20年前豊胸手術を受ける。当時胸に入れたシリコンをより安全な材質のものへ入れ替えるための手術を3カ月前に受けたという。有名な美容外科だったが、胸のシリコンの癒着が強く、1時間で終わるはずの手術が4時間以上かかる。その上、結局シリコンを抜くだけに終わる。貧血がひどく、立つのも辛い。入院を希望したが、美容外科の医師から大丈夫の一点張りで無理やり家に帰された。ところがその後、傷口が膿み、大学病院の形成外科で再手術となる。その間の痛みと傷の治らないストレスで、何日も眠れなかった。でもそれは直接うつ病の原因ではなく、きっかけだった。その大元の原因は夫にあった。

夫は家庭でも仕事場でもワンマンな人で、家でテレビのチャンネル一つかえない。例え彼女が台所で料理していても、お構いなしで大声で呼ぶ。さらには子供達や来客にとても横柄な口を聞く。ところがT子さんと二人きりだと、赤ちゃん言葉を使って甘えてくる。今回の手術でシリコンを抜いたT子さんの胸は小さくなった。でも危険な目に遭った当人の彼女は再手術を受けたくない。でも夫は「また大きくするんだよね」と暗に強要する。夫をがっかりさせないため、入れなきゃいけないと思うと、気持ちが落ち込んだ。

一番下の子供が秋に海外留学するので、夫婦だけになる。夫から、今のマンションを売り、小さなマンションに移ろうという提案があった。確かに今のマンションは二人だけでは広すぎるし、管理費も馬鹿にならない。でも手術の失敗やケア・マネージャーの仕事が嫌になってから、ここで一日ゆったり家事をするのが、T子さんにとって唯一の安らぎだった。その住み慣れた家を売ると聞き、さらにストレスを感じた。その話以降、また眠れなくなる。依存症が起こらない軽い抗うつ薬と睡眠導入剤を差し上げる。次の週、お友達を連れて見える。その友達が彼女との付き合い方を指導して欲しいという。彼女が望むときは、前と同じつき合い方をして欲しいとお願いする。お友達の前ではT子さんは夫の悪口どころか、むしろのろけていた。それを聞き、夫の悪口や家に関する愚痴は、親友にも言えないのを察する。

その翌週、今度はT子さん一人でみえた。夫と郊外の大型アウトレット店へ行ったら、店にちょっと入っただけで、夫はすぐ不機嫌になり、車の中でずっと寝ていたという。だからゆっくり買い物を楽しむはずが、焦って買わなくてはならず、逆に忙しい休日になり、うつ状態が悪化する。そこで、もっと夫に自分の要望を直接伝えられるように彼女と話し合う。それから1カ月後、夫との関係が少し進歩したと報告してくれた。「本当に夫に逆らったことがなかったのです。でも辛くて、先生も夫に私が思っていることを正直に言った方がいいと助言してくれたお陰で、思い切って『私はどうしてもこの家にいたい』と言ったんです。そうしたら、夫は家を売る話をしなくなりました。でもまだ私を平気で傷つけます。最近また体重が減ったのを見て『カエルの干物みたいだね』とか『君が元気ないのは胸が小さいからだ。手術で大きくすれば、また元気になるよ』と本当に無神経なんです」

夫が一日家にいる日は苦痛だった。自分の部屋で一人ゆっくりしていると夫がしょっちゅう覗きに来て、息が詰まる。またT子さんのお友達がきていると、そのお客様への物言いがぶっきらぼうで、ハラハラし通しだという。

でもT子さんは2週間毎、カウンセリングに来る度に元気になった。抗うつ薬も減らし、睡眠薬無しでも眠れるようになる。「ある時診察を受けて、勇気が出たので夫に言ったんです。『優しくしてくれないと死んじゃうから』って。そうしたら、夫の顔色が変わりました」

いつも人使いの荒い夫が、少しだけ家事を手伝うようになる。また夕食後1時間位、T子さんの身体をマッサージし、労わってくれるようになったという。精神的に大分良くなったので薬も止めてから半年経つ。このところ来院されず、どうしたのかと思い、電話してみた。「大分よくなりましたけど、夫は相変わらず、胸の再手術を受けろとうるさいんです。でも『その内ね』といって、軽くいなしています」と元気そうな声で答えてくれた。

元気の秘訣は夫への復讐

I子さん（54歳）は、風邪を引きやすく、階段を上がれば息が切れる。手のひらには酷い湿疹が出ており、クリニックや病院を何軒も回り、掌蹠膿疱症という診断がついた。でも、薬を塗っても効果がない。友人からの紹介で当院に来られた時、I子さんの目は焦点が定まらず、手も時々震えていた。湿疹は確かに掌蹠膿疱症だったが、全身の倦怠感や息切れ、免疫力の低下が気になった。そこでI子さんにストレスについて尋ねたが、最初は何も言わなかった。逆にストレスなど何も無いと頑に言い張っていた。ところが、何度目かの来院の時に、その原因について、重い口を開くようになった。それは長年連れ添った夫のM氏（57歳）が大きなストレスの原因とのことだった。

◇10年来の浮気に耐えて

M氏は10年前に大手企業から独立し、人材派遣会社を経営している。社員はほとんど親族で、I子さんは経理を任されていた。会社を起こした当時、M氏の浮気が発覚した。それまでにも多くの女性と浮気しているのに気づいていたが、I子さんは見て見ぬ振りをしてきた。それは自分も更年期障害で具合が悪く、夫の相手をするのが苦痛で、負い目を感じていたからだ。

ところが、ここ3、4年の浮気相手はずっと同じ女性で、長く続いていた。無防備な夫の携帯をちょっと覗いただけで、夫の動向はすぐにわかる。得意先とのつき合いと言っては、必要の無い海外旅行までするようになった。ホテル宿泊やレストランでの飲食の領収書も、I子さんに平気で手渡す。問い質しても、M氏はのらりくらりとごまかした。強く聞けば「誰のおかげで食っていると思っているんだ」と開き直る。本当はとことん突き詰めて徹底的にやりあいたいが、仕事を放棄されて親族に迷惑がかかってしまってはいけないと思い、それ以上は黙って我慢していた。

そんなI子さんの悩みはだんだんと変容する。浮気よりも、M氏が家にいること自体がストレスとなっていることに気づく。家で夫は、お茶を入れてくれだの、テレビを一緒に見ようだの、何かとI子さんにものを頼み、話しかけてくる。浮気の件をI子さんが知っているのを、M氏は分かっているはずだ。それでも、仲睦まじい夫婦のようなコミュニケーションを強要する。『自分は好き勝手やっているのに、都合のいい時だけ、女房として使わないでよ』

I子さんは、心の中で強くそう思っていたが、誰にも相談できず、悶々としていた。そしてそれが嵩じて病気になってしまったのだった。

来院する度に、I子さんは、時間の許す限り、M氏の悪口を言い続けた。何度も同じことを言っては涙ぐみ、怒りで肩を震わせる。最近は、普段心の中に溜まった、誰にも言えないことを話せるので、ここに来るのが楽しみだと言う。

次第にI子さんは、自分の気持ちをコントロールできるようになる。それまでは考えるたびに息苦しくなり、悲しくなったが、繰り返し話しているうちに、「何でこんな下らない亭主のことで悩んでいるのだろう?」とバカらしくなってきたという。そこで、女友達と月に1度は温泉旅行に出かけ、M氏が不在の時には、好きな映画のDVDを山ほど借りて来ては夜中まで見るようになった。

◇虐げられた妻の胸の内

だが、最近の最大のストレス解消法は、将来M氏にどうやって復讐してやろうかと考えることだという。腕利き弁護士を雇い、相手の女性に慰謝料を請求し、徹底的に苦しめてやる、夫の目の前に離婚届を突きつけ、身ぐるみ剥いで追い出してやる、M氏が寝たきりになった時、手の届くか届かないところにわざとご飯を置いて、飢えさせるなど、あまりに具体的で、現実的な内容なので、聞いていて空恐ろしくなった。

「先生のおかげで気持ちが楽になって、手も綺麗になりました。元気になってきたら、主人への復讐のために長生きしてやろうと決めました。ですから、長生きするためにしっかり先生にかかりたいと思いますので、よろしくお願いします」

半年前に比べ、10歳は若返ったI子さんの言葉に、背筋がゾッとしたのは私だけだろうか?

「辛いね」の一言で救われる人生

「先生のあの一言で全てが救われました」Dさん（52歳女性、中小企業役員）はまるでテレビドラマの台詞のような御礼を言ってくれる。それは彼女の病気の早期発見、治療に対するものではなく、コンサルテーション中に話した一言に対してのものであった。

初めて人間ドックにみえた動機は、中小企業を経営するご主人の浮気を突き止めたからだ。Dさんが自宅の家計や会社の経理状況を好くするため、爪に火を灯すように節約していたのに、女性と有名レストランで食事を取り、出張と偽り、一流ホテルに宿泊していたご主人が心底許せなかった。彼が行っている所には全部行ってやろうと思い、ドックも受けた。

そのコンサルテーションの時に、先生は夫の主治医だし、家の恥と思ったが、夫の悪口を散々言い続けた。友達や親戚に話しても、男の甲斐性だから仕方無いと、取り合ってくれなかった。だから爆発したように話してしまう。もう別れるつもりだった。そうでなければあまりに自分が惨めで可哀想過ぎる。全部話した後、しっかり見つめられて「辛いね」のたった一言、労う言葉がこんなにすっと、しかも温かく心に入って来たのは初めてだった。その場でDさんは泣き伏してしまった。それまで自分の味方は誰一人おらず、孤独で不安で寂しかったことにDさんは気がつく。

◇夫婦関係も改善し、再出発

2週間後の休日、問題のご主人と仲良く歩くDさんに偶然に出会う。その表情は憑き物が落ちたように晴れ晴れしていた。その2年後、Dさんは早期の乳癌を当院のドックで発見され、一命を取りとめる。さらにはその1年後には大腸ポリープも見つかり、それも大学病院で切除し、事無きを得た。「『辛いね』と言われた先生の一言なんです。私を救ったのは。当時の私はだれ一人助けてくれる人もおらず、とても不安で離婚するつもりでした。しかし5年前のあの一言で、もう一度やってみようと思ったのです。離婚していればここには当然来ていません。そうだったら、乳癌も大腸のポリープも早期で見つからなかったでしょう。だから、あの一言が私を救ったのです」

当時を昨日のことのように振り返るDさんであった。彼女のように医者が発した一言で救われることは往々にしてある。でも最近ドクターハラスメントとして、医者の言ったことで傷ついたり、より病状が悪化したことばかりが取り上げられるのは、寂しい限りである。

拒食症と過食症には愛が必要

Nさんは30歳の美人の奥さんであり、1歳の子供がいる。夫は某中小企業3代目社長で周りから見れば、とても恵まれた生活をしているようにみえる。しかし夫は超多忙で家庭を顧みず、いわゆる母子家庭であった。Nさんは結婚直後に拒食症で、入院までした経歴があったが、子供ができてからは落ちついていた。

ところが3年以上経った最近になって、周りの物全てがテレビの映像のように遠くぼんやりと見え、ジャンクフードばかりをずっと食べ続けるようになる。空腹感も満腹感も無く、ただひたすら食べて全てを忘れようとする過食症に陥っていた。でも食べた後で、それが罪悪感となり、夜11時頃、無理やり全部吐き出す。そんな状態だから、3食ごとにきちんと食べることができない、つまり拒食症も伴っていた。そのため、身長160cm弱あるのに体重33kgとかなり痩せ細っていた。

第1の原因は夫からの愛情が感じられないことだった。第2の原因は、普段周りに対して素敵で幸せな奥様を演じているため、周りにヘルプが出せず、何でも独りで我慢してしまうところにあった。特に平日はいつも午前様の上に、土日も接待、出張、ゴルフと、家庭を全く顧みない夫に「こんな状態なら離婚よ」と文句を言った時、「そんな世間体の悪いことできるか！」と一喝される。怒鳴られたこと自身よりも、『私とは世間体のために暮らしているんだ』ということが心に突き刺さり、ものすごくショックを受けた。そこまで冷めている夫にはもう決して何も言うまいと決めた頃から過食症が始まる。

◇拒食、過食症を治せるカウンセリングとは？

カウンセリングを始めてから3カ月過ぎた頃から、虚像を見ている感じが変化し始める。周りの物がしっかり見えるようになってきたという。また気の置けない友達に自分が拒食症と過食症が両方あることを正直にカミングアウトした。当院で何度も自分の状態を話しているうちに、昔からの友人には話してみてもいいかなと思ったという。実際、話してみて嫌われると思いきや、逆にその友達からも悩みごとを打ち明けられ、自分だけが苦しいのではないのがよくわかった。一緒に頑張ろうと励まし合い、友人との絆が前より深まった感じがして、勇気が湧く。

なぜNさんは良くなったのか？　それは治療者が家族のように愛情をもってNさんに接し

たからである。Nさんの愛情のコップはほとんど空っぽだった。でもそれはNさん自身が自分の愛情のコップに誰かが愛情を注ぎ入れてくれるのを拒んでいたからであった。自らのエゴやプライドが強すぎると、誰からの愛情も素直に受け取れなくなる。

カウンセリングでは、Nさんにまずそのことに気づいてもらうことが先決だった。そして彼女が自ら愛情が欲しいと思えるようになった時、そのコップにたっぷり愛情を注ぎ続けることが功を奏したと言える。勘違いして欲しくないのは、男女間のそれだけが愛情ではない。父母、兄弟、姉妹を思う家族愛もまた愛情である。また治療者の方が成熟していないと、愛情の種類を間違え、治療か恋愛かわからなくなる。よく拒食症の女性と入院先の主治医とが恋愛関係に陥り、結婚に到るケースもあるが、本来、あってはならないことである。一つ間違えば大きなトラブルに到る。治療者がどこか醒めた目で見ていることで初めて、カウンセリングはうまくいく。

◇愛情を注ぐ側へのトランスフォーム

17年後Nさんは、夫とともに人間ドックに来られた。仕事仕事で猛烈にやって来た夫は狭心症を起こしていた。Nさんの方はもうすっかり過食症も拒食症も出なくなったという。お子さんも立派に大学生になられ、やっと肩の荷が降り、ほっとした。そう思った途端、今度は夫が狭心症になり、「食事から何やら大変です」と笑いながら、おっしゃっていた。Nさんはいつの間にか愛情を注いでもらう側から、注ぐ側にトランスフォームしていたのであった。

携帯電話依存症でエイズ感染か？

G子さん（30歳）は優しく経済力のある夫、4歳の可愛い盛りの子供を持ち、さらには某会社の事業部長として、年に何回もヨーロッパやアメリカを往復している。ある時、生気の無い危ない目つきで当院を訪れる。「先生、エイズ検査をして下さい」と急に診察室で泣き崩れる。G子さんは携帯電話依存症。誰かと常に話していないと不安で仕方が無い。相手は誰でもよい。だからテレクラでも電話してしまう。ある日、テレクラで意気投合した人とホテルに行ってしまい、名前も聞かずに別れたとのこと。エイズに罹ったと思い、半狂乱になる。勢いとはいえ、大変なことをしてしまったと後悔する。なぜこんなことになってしまったのか？　自分の話に同調して、よく聞いてくれる話し相手が欲しかっただけなのにという。

◇夫よりも話をよく聞いてくれるテレクラ

夫は優しい。子供の面倒もよく見るし、妻の海外出張も快く認めてくれる。素晴らしい夫だが、G子さんが話をすると「それはこうすればいい」と頭のいい人故に、すぐ解決策を出す。彼女の中で『欲しいのは解決策じゃない、ただ聞いて欲しいだけなのに』と、もどかしい気持ちでいつも一杯だった。そんな時、携帯電話がG子さんにとって唯一のストレス発散の場となる。よく知っている人は『それじゃだめだ、もっとしっかりやれ』などと励ます。逆にテレクラなどで全く知らない人と話すと、意外によく聞いてくれる。

当院での診察中もG子さんは、マシンガンの様に自分がいかに馬鹿げたことをしたか、でもそれは話をちゃんと聞かない夫が悪いなどと2時間も話し続けた。「心配ない」といっても止まらない。彼女は下手なお為ごかしや解決策を聞きたいのではない。ひたすら話したいのだ。エイズ検査は性行為があって6週間以上経たないとわからない。そんなに長くこんなストレス下に置かれるなら死んだ方がましとまで言う。いつもの冷静沈着な彼女とは別人だったが、これが彼女の本来の姿だ。会社でも気が許せない、主婦，母親もしっかりこなす。

携帯電話でどこかの誰か知らない人に自分の内側の不安や思いを聞いてもらって何とか癒され、正気を保っている。それが携帯電話に依存する理由である。夜の飲み屋で、多くの男性は自慢話や上司の悪口を話す。でも彼女の話には自慢話はない。同情や解決はいらない。ただ真剣に聞いてさえくれればいい。語り尽くして、彼女は惚けたように呟く。「この2時間で私は救われました」6週間後、エイズ検査は陰性だった。G子さんはそこでも救われた。

不眠の原因は隣の夫婦喧嘩

現在マンションが軒並み建ち、不況下でも売れ行き好調という。ただマンションは隣に変人が来る危険性もある。Tさんは心理学科の大学講師（46歳）。この半年不眠症を訴え、当院を訪れる。原因はマンションのお隣の夫婦喧嘩。隣人夫が帰宅後の23時過ぎからそれは毎晩始まる。夜が更けるほど、どんどんエスカレートし声が大きくなる。隣人妻を責める内容全てが聞こえ、Tさんは耳を塞いでいた。彼女は独身女性。最初は隣人妻に同情的だったが、夜中2時過ぎの大喧嘩で起こされて以来、両方に嫌悪感。ついに教壇で貧血を起こし倒れる。隣人に物言いに行きたいが、隣人夫のターゲットにされるのも怖い。仕事にまで支障をきたすほど悩み、頭痛も出現し始める。眠剤を使うと昼間ぼうっとして、集中力を欠く。結局、お気に入りのマンションを泣く泣く引越した。

◇住宅環境改善でも新たに芽生えた男性への敵意

夫婦喧嘩の声もなくなり、住宅環境は改善。でもTさんは眠れなかった。大学で上司の男性教授に何かと反発するようになり、職場環境が悪化し、八方塞がり。当院で話すうち、Tさんの男性への異常な敵対心に気づく。男性教授と同意見の女性准教授には反発しない。毎晩隣夫婦の夫が妻を責めるのを聞き、男性への敵意がTさんの内側で芽生え、増幅したのだった。「男性はTさんに敵意はない」と頭でわかっても、気持ちがついて来ない。それをどう克服するか感情剥き出しになるほど、徹底的に話し合った。

ヒントはTさんが以前留学していた欧州にあった。何度かギリシャ料理を食べに行き、思いっきりお皿を投げ割った時、留学時の鬱々感が吹っ飛んだという。ギリシャ料理では食べ終わった皿を床に叩き付けて割る習慣がある。ただ自宅だと、家の中がぐちゃぐちゃになり、大変な出費となる。お皿を割る際、一緒に大声を出したというので、いつもの囁き声から大声で話してもらう。結果悪口でも何でも、皿を投げ割るつもりで大声で叫ぶと、Tさんは気持ちがすっきりするのがわかる。ただ自宅で大声を出せば隣近所迷惑だし、職場では職を失う。そこで合法的に大声を出せる場所として、サッカー場を思いつく。元々サッカー好きだし、そこなら男性選手を野次って、思いっきり叫べる。だから週末は毎週のようにサッカー場に足を運ぶ。それが嵩じて海外のオリンピックに応援遠征にも行った。喉は嗄れるが気持ちは晴れやか、不眠も職場の人間関係も改善した。それが証拠に数年後には教授に就任する。

死にたい願望はガン願望

E子さん（58歳）は猛烈企業戦士の妻である。ほぼ家にいない、転勤あり、単身赴任あり、休日ゴルフありの夫の代わりに3人の子供を一人で立派に育て上げた。E子さんのお陰で夫は仕事、付き合いに没頭でき、一流企業の重役にまで上り詰める。そんな矢先、妻のE子さんが直腸ガンを当院で発見される。今手術すれば完全に治る。でも「もういいんです。苦しい思いをするより死んだ方がましです」とE子さんはいう。そういえば診療に来る度、ストレスについて聞くと「何がストレスかわかりませんが、どうでもいい感じなのです。できれば早く楽に死ねればと思います」と乾いた表情で答える。その度に「お孫さんや未婚の娘さんのためにも頑張ろうよ」と励ましたが、やはりガンを引き起こしたかと残念でならない。

E子さんのように悲観的で世の中のことに興味を失い、早く死にたいと思っている人はタイプC（Cancer）と呼び、ガンになり易い。楽しいことや驚くべきことが起こっても無反応で、我関せずである。いつからそんな風に無反応で死にたいと思い始めたのかを尋ねると

10年前からだった。夫は殆ど不在、子育ても家庭のことも全て一人でがむしゃらにやってきた、この先もずっと一人で頑張るのかと思ったら、急に人生がむなしくなった。その時からだという。また今までもさんざん期待しては裏切られ、期待が大きいほど、後で裏切られた時のショックが大きいので夫にも人生にも期待するのはとっくの昔にやめていた。

◇家族や近しい人達の呼びかけが必要

タイプCの人はどんなに親しい人達が、生きる喜びや意味を教えても聞き入れない。ある時点から、人生を自ら意味ないものとしてしまったからである。タイプCの人が生きる価値を認めるのは、自分の楽しみより、家族や近しい人達の役に立っているのを実感できた時である。つまり周りの人達が自分を必要とすれば、生きる意欲が湧く。でも逆だとどうでもよくなる。E子さんを始め、夫やお子さん達に当院に集まってもらい、それぞれがE子さんへの思いを伝えてもらう。今までE子さんに沢山のことをしてもらっての感謝の言葉。さらには、これからも、こうして欲しい、ああして欲しいとずうずうしく、どんどんE子さんに要望をのべてもらう。みんなE子さんに生きてもらおうと必死だった。1週間後、E子さんは手術を受け入れる。もう少し生きてみることにしたという。「せっかく先生に早期で発見して頂いたんですもの、もう少し頑張ってみます」E子さんの表情は、来院以来一番輝いていた。

純粋な心を蝕む悪意

Rさん（23歳）は九州の高校を卒業後すぐに上京。女優としてスポットライトを浴びるのが夢だった。女優を目指すだけあって、流石に綺麗な顔立ちをしている。実は彼女には当院で秘書業務のアルバイトをお願いしていた。普通の人が1カ月かかって覚える業務を2週間でこなすほど、優秀だった。進学高に通っていたのに大学に進学しなかったのは、「自分は将来の目標が決まっているので、大学に行く必要性を感じなかったから」だと言う。

Rさんはよく働いたが、所属タレント事務所から雑誌などモデルの仕事が入った時は、そちらを優先するという契約だった。ただモデルの仕事は週に1日くらいで、ほぼ毎日当院に来ていた。仕事ができて人当たりも良い。「正社員にならないか」と何度か誘ったが、小さなモデルの仕事でも目指す女優への足がかりになるからと、首を縦に振らなかった。家賃や生活費のほか、所属事務所は彼女に、休みを利用してのボイス・トレーニングや演技指導など数多くのレッスンを課した。その受講料がかなりかかり、いくら働いてもお金は貯まらなかった。「ここの仕事は人の役に立っているのが直接実感できて楽しい」と微笑む。一方で、時折当院のスタッフ間で催す飲み会で、Ｒさんは驚くほど、とことん飲み、はしゃぐのが気になった。後で聞くと、普段のストレスを飲み会で発散していたと言う。

◇都会で一人悩み、苦しむ

当院で働き始めて、１年経った頃から、Ｒさんの仕事に対する態度に変化が起こる。まず休み明けの出勤日、当日急に吐き気や腹痛を訴え、休むようになる。今までもモデルの仕事で休んだが、週明けの一番忙しい時に休むのは無かった。ミスも多くなる。受診者の予約の取り忘れや検査の確認ミスなど今までのＲさんには考えられないイージーミスばかりだった。また以前のような元気も生気もなく、うつろな感じだった。ストレスからアルコール中毒になっているのではと懸念したが、「体調が悪いので、アルコールは殆ど飲んでいません」と話してくれた。それから１カ月間、精神的にも身体的にも不安定な状態が続く。

Ｒさんが５日程休んだ後に出勤したある日、心療内科の診断書を私に見せてくれた。病名は「身体表現性障害」。精神的ストレスにより、多様な身体症状を訴える病気である。「先生、実は眠れないのです」この１カ月ほど、毎日１、２時間しか眠れないと言う。その心療内科で睡眠剤をもらったが、あまり効かない。「何かストレスになることはあるのですか？」と聞くと、Rさんはその場で泣き崩れた。「私の所属事務所の社長が、私を芸能界に売り出すためには、お金がいるから持ってこいというのです」「何のためのお金なの？」「女優志望の私を多くのプロデューサーやディレクターに紹介するのに必要なお金だって。しかも『これまでは俺が自腹を切ってきたが、もう限界だ。だから、もし男がいるならそいつから金を引っ張って来い、その方がデビューが早い。お前に魅力があれば、男は金を出すもんだ。もしいないなら、お金を出してくれる男を紹介してやるぞ』とまで言われました」その社長は、夜遅くでもRさんを呼び出し、こんこんと自分の自慢話や説教話を聞かせると言う。

◇「里帰り」が一番の処方箋

Rさんはどうしていいかわからず、苦しんでいたのだ。お金や将来の仕事のことがいつも頭の中でぐるぐると走馬灯のように巡っていた。それが眠る時にも起こり、眠れない。仕事中もぼうっとしてしまう。私はRさんに、全ての仕事をやめて、まずは九州の故郷に帰るよう進言した。するとRさんは目を輝かせて「実はずっと帰りたいと思っていたんです。でも女優になる夢を諦められなくて」その気持ちもわかるが、今の状態は不眠症といい、身体表現性障害といい、明らかに病気だから、酷くなる前に田舎のご両親の元で早く療養した方がよいと説得した。東京のようなストレスだらけの街にいては、良くなるものも良くならない。

　タレント事務所を辞めさせたかった理由はもう一つある。Rさんは美人だが、選ばれた者だけが持つ輝きというかオーラを感じなかった。勉強して何か資格を取り、真面目に働いた方が、Rさんは確実に幸せになる。だから女優のオーラを感じないことも含めて、その通りに話した。1週間後、見違えるような笑顔でRさんは出勤してきた。「先生、タレント事務所を辞めてきました。でも社長ったら『お前の事を心から愛している、だから辞めないで欲しい』って泣きつくんですよ、50歳過ぎのくせして」社長の小細工も、冷静さを取り戻したRさんには通じなかった。「先生の言葉で吹っ切れました。お薬を使わなくてもよく眠れるようになったんです」と笑った。そしてこう付け加えた。「女優のオーラがないと言われたのはショックでした。でも実は、自分でも薄々気付いていたんです。それでも何とかなるかもしれないと、無理していたんですね」それからすぐ、Rさんは当院を退社した。彼女が記念にと置いていった最後のモデルの仕事となったカメラ雑誌を見ながら、一番痛手だったのは当院かもしれないな、とちょっぴり後悔する。1年後、彼女の携帯に電話してみたが、留守電だった。メッセージを残したら、次の日クリニックに電話がある。私は診療中だったため、電話に出られなかったが、ひとしきり当院のスタッフとおしゃべりして切ったという。元気そうだと聞き、ほっとする。あなたの近くにも〝Rさん予備軍〟がいるかもしれない。彼らの発するサインにいち早く気づけるようによく部下を観ているのが、よい上司の資質である。

人には言えない秘密の告白

Kさんは23歳、小学校の教師2年目である。生徒の父兄や他の職員の前で話す時にドキドキする。それでも無理して話していると、息苦しさで倒れそうになる。実際に倒れたことも何度かあった。と同時にKさんは大の野菜嫌い。最初はそれによる栄養の偏りが原因で貧血を起こしているのかと思った。回りから見ていても元気がなく、上司の勧めで当院に来た。

身体的な検査では問題なかった。症状は仕事の時のみ起こるという。3回目のカウンセリングの時に、彼女は重大な秘密を告白してくれた。実は学生時代に妊娠し、悩んだ末、中絶をしたことだった。そんな子供殺しの自分が今ノウハウと子供達の前で先生をやることは偽善者のようで苦しい。ましてや人前で偉そうな口など聞けないし、そんな自分は大切にする価値なんか全く無い。だから身体にいい野菜なんか食べないんだと泣きじゃくりながら話してくれた。話を聞きながら、彼女の純粋さに不覚ながら、私も涙がこみあげた。

◇ガンジーからの提案

普通カウンセリングでは、ひたすら相手の話を聞く。本人がどうしたらいいか考えている時には、一緒に真剣に考える。「どう思いますか?」と意見をクライアントから求められたら、「あなたはどう思っているのですか?」と返す。自分の方からこうした方がいいと言う提案は極力避けるのが鉄則である。その鉄則は破れないから、昔見た映画『ガンジー』（1982年コロンビア映画）の話をした。戦争をやめることを訴え、断食を続けて、息も切れ切れのガンジーの元に、ある兵士がやって来た。兵士は毎晩子供の夢を見て苦しむという。それは宗教的な争いで、まだ年端もいかない子供達を殺したのだという。その時ガンジーはある提案をした。それはその兵士に孤児をもらい、自分の子供と分け隔てなく大切に育てろという提案だった。しかもその子供達は自分の宗教と相対する宗教の子供達で、その宗教の教え通りに育てろというものだった。その兵士はガンジーの前で泣き崩れ、彼に断食をやめて、生きて欲しいと懇願する。真剣に聞いていたKさんの頬には涙が幾筋も流れていた。「先生、少し楽になった気がします」次の回のカウンセリングの時、真っ先にKさんはそう話してくれた。顔が明るく輝いていた。Kさんの野菜嫌いも今は治り、よく食べるようになった。「子供達と一緒に給食を食べないと食べてくれませんから」また突然、倒れることもほぼ無くなり、元気になる。そう、彼女には貰い子をしなくても目の前に自分の子供達がたくさんいるからだ。

悪い男に振り回されて

悪妻、悪女とはよく聞く。が、悪夫、悪男というのは稀である。それだけ男女間で影響を及ぼすのは女性と言われている。ところが、とんでもない悪い影響を女性に与える男もいる。

Dさん（初診時43歳女性）は16歳と11歳の2人の子供を持つ母親である。12年前の31歳時、化粧品会社を女性友達2人と起こし、33歳で御主人と離婚。子育て、経営と一人で踏ん張ってきた。体調は普通だったが、周りの友人の病気や訃報の多さに、漠然とした不安を覚えていた。そこへ友人の紹介で、これ幸い渡りに船と当院に来られるようになった。

初めて人間ドックを受診された時、包み込まれるような温かさをDさんから感じた。とても人好きなのが伝わってくる。だから良いお客様も多くつき、仕事も順調だった。社員の健康も大切と当院に幹部役員の方全員をドックに紹介くださる。ただ2年目のドックの際には、妙に元気が無く、十二指腸潰瘍が多発していた。長年公私共に仲良くしてきた人と些細な事で絶交状態になったという。人との関係を大事にするDさんにとっては、とても辛かったのだろう。お付き合いでのお酒を極力控えてもらったが、タバコはやめられなかった。仕事柄外食も多く、カロリーの少ないものを指導する。また前から好きな剣道の稽古を週に2回再開してもらう。そのため脂肪肝はあったが、ひどくならず、安定していた。それ以降4カ月に一度はこまめにチェックしたが、3年目のドック以降再検査には来られなくなった。

◇ストレスフルな恋から真性糖尿病に

46歳時、4年目のドックの時、真性糖尿病になっていた。糖尿病には真性と境界型があり、境界型は空腹時の血糖値が110㎎／Dl程度で、治療の必要性はない。真性での血糖値は126㎎／Dl以上で、神経症状や血管の動脈硬化さらに心筋梗塞や白内障が年齢より早く起こる。4カ月毎の再検査を受けていれば、まず境界型糖尿病で見つかる。ところが、いきなり真性糖尿病というのは、よほど生活が乱れて、ストレスフルだったといえる。ストレスが高い人程、コレステロールと同時に血糖値も高く、動脈硬化や心筋梗塞が多い。Dさんにこの1年間の出来事について聞いてみた。「先生、実は私今恋をしているのです。相手の方もバツ一です。前からの知り合いですが、半年前から本格的につき合い始め、土日はいつも一緒にいます」「バツ一同士なら不倫じゃないし、幸せなはずですね。何かストレスになることはありますか?」「それが、優しい人なんですけど、凄い感情的で直ぐ喧嘩になります。彼が感情を剥き出しにするので、私も釣られて、怒鳴るようになりました。しかも彼は心理学をよく勉強していて、私の痛い所を突いて来ます。だから、しょっちゅう胃が痛くなります」「あまり良い恋とはいえませんね」「でも今まで私、女尊男卑って思うくらい、男性からちやほやされてきたから、逆に新鮮なんです。結局彼のいい方に持っていかれます。でも彼ったら何の脈絡もなく、急にサンシャインや鎌倉に行こうと言い出して、面白いんです。でも揉め出すと大変です。物が飛んできますから」「我侭な子供ですね」「本当です。だって、私が前夫に会って子供の事を相談するのを凄く嫉妬して、会うなっていうんですよ。でも自分は、古い戦友と称する女性と会っている。矛盾しているじゃない、って言うと、お前と前夫より、俺とその彼女の方が関係が深いんだっていうんです。それ聞いたら、私も嫉妬してカーって来ちゃうんです。酷いでしょ?」「高校生の恋みたいですね。お互いに」「でも今まで自分の感情を抑えてきたから、面白いんです。凄く心身共に疲れて苛々するので、お酒も煙草も増えました」実はDさんの大切な女性友達との破局は彼のせいだったという。一時ごたごたしたので控えていたが、その後本格的につき合い出し、Dさんは糖尿病になった。が、生き生きしている彼女に、身体を悪くするから、彼と別れろとは言えなかった。その後もDさんはその彼氏に引っ張り回される。糖尿病があるのだから、2カ月に1度は来院し、検査の必要性があった。その後2回再検査を受けてからは5年目のドックには来なかった。電話したところ、もう病院には行けないという。なぜなら、病院に行くこと自体、彼氏が嫌がるからという。しかも糖尿病のDさんには、美酒、美食はだめなのを知っていて、彼は焼肉屋や飲み屋に誘う。一緒に行かないと、とても不機嫌になる。彼に内緒での来院を勧めたが、無駄だった。彼女は彼に夢中であった。その3年後、Dさんは突然意識を失い、救急車で病院に運ばれる。くも膜下出血だった。緊急手術となったが、間に合わず、意識の戻らぬまま、亡くなる。50歳だった。Dさんの彼氏が彼女の人生を変えてしまった。Dさん本人もそのことに気づき、その悪い男とは別れていたという。でも付き合った3年間は長かった。糖尿病が悪化し、Dさんの身体はぼろぼろになり、脳の血管に動脈瘤ができたのだろう。恋愛には、凄いエネルギーがいる。しかも感情をお互いしょっちゅうぶつけ合っていたのでは身体が持たない。40歳過ぎたら、お互いの身体を労わり合い、気持ちの安らぐ相手を選ばないと、命取りになる。

死後9年経ち、Dさんの女性友達のドック時に彼女の話が出た。「彼女は、私達の仲間内では何でも先にやるタイプでした。だから、今度もさっさと天国へ行って、先に遊ぶ所や友人を作って、私達を待っていることでしょう」「実は彼女は、あの悪い彼と死ぬ半年前に別れていました。そして山深いお寺のご住職と結婚の約束をしていたのです。今度の彼は心穏やかな方で、2人で畑を耕しながら、のんびり暮らそうと言われたって、D子、喜んでいました」もしそのご住職に先に会っていれば、Dさんは今も元気に当院に通っていたに違いない。

言えなかった「ノー」が壊した身体

E女史（31歳）は毎日会社で事務職をこなし、よく笑い、よく喋る、至って普通のOLである。ところが彼女には悪癖というべき或る行動パターンがあった。それは人から勧められたり、頼まれれたりすると、「ノー」といえないことであった。自分の生活が脅かされ、自分の身体がぼろぼろになることが予想できても、その場で断れない。後で断ろうとしても、向こうからのごり押しにあったり、寂しそうな顔をされるとついついオーケーしてしまう。実は当院の人間ドックも人に勧められて「ノー」といえず、受診したのであった。E女史は表面的にはとてもいい人に見えたが、それはかなり無理してのことだった。

ドックにおいての心理行動パターン検査の結果、集中力、自己表現力、コミュニケーション能力、リーダーシップ力が、自分には殆ど無いと常に感じていた。そのため自分に対しての自信がまるで無い。だから、その裏返しに日頃、人には甘えないようにしているが、誰か他の人が頼んでくるとついつい聞いてしまう。また一度決めたことでも必ず迷い、自分の取った行動に対し、常に後悔の念を抱く。だから頭の中で自分を卑下することが多く、特に自分にとってやっておいた方がいいことを後回しにしがちだった。

◇「ノー」と言えない性格から買い物依存症へ

生きていれば、いろいろと問題が起こる。その時、大抵の人は、誰かに相談したり、いろいろと調べてみたりと行動して解決しようとする。ところがE女史の場合には、誰かに相談することもなく、常に自分の頭の中だけで、自分が悪い、自分が我慢すればいいと処理してきた。だから表面上は明るく元気そうに見えるが、身体面では、膀胱炎をよく繰り返し、生理も不順だった。さらにここのところ風邪もよく引き、全体的に免疫力の低下が目立った。

当院の超音波検査にて約3・5㎝大の卵巣のう腫を認めた。これには彼女も驚く。そこで今まで人に話したことがない彼女の秘密を打ち明けてくれた。それは、4年前の27歳の時に自己破産しようと思ったほどの借金があったことだった。それも自分に自信が無いため人から勧められると、「ノー」といえない性格によるものだった。お店に行って、「すごくお似合いですよ」といわれると断れず、すぐカードで買ってしまう。最初は毛皮のコートから始まり、払えないとわかっていても、すぐには必要ない高価な絵まで買ってしまった。

22歳から5年で700万円にまで借金は膨れ上がった。いわゆるカードローン地獄に陥る。

流石にまずいと思ったが、何の手立てもなかった。悩みに悩んで、インターネットで調べた弁護士を訪れたことで、何とか自己破産だけは免れた。だが任意整理となり、毎月少しずつ返すこととなった。その借金も返し始めて4年、あと1年で終わるところまで来たという。最初は「ノー」と言えない性格で店員さんから勧められるままに買っていたのが、ある時から、買い物によって、いつも卑下して来た自分が満たされた感じがするようになる。また買い物をする度に変に自信が自分の中で芽生え、それが無いとやっていけない依存症に陥っていた。でもその依存症は、弁護士さんからの話で、相当危険なことであることを理解し、何とか脱却できた。ただ毎月の返済のために、日常品以外は何も買えないし、友達とも旅行にも行けなかった。でもそれもあと1年なので、頑張れそうだという。

E女史にはもう一つ大きな問題があった。それは3歳年下のボーイフレンドがいて、彼とはもう5年も付き合っている。その間、実に5回も妊娠し、「今は結婚できない」という理由で堕胎をずっと繰り返してきた。どうしようもない男だとわかっていながら、だらだら惰性で付き合ってきた。自分では「膀胱炎や生理不順があるのは、5回もの堕胎のせいだと思う。ただ今回のドックで卵巣のう腫が見つかったことで、もうまともに子供はできないし、幸せな結婚は望めない」と諦めたという。コンサルテーションでは、膀胱炎症状、卵巣のう腫共に、堕胎とは何の関係も無いことを何度も説明した。特に「これ以上、堕胎さえしなければ、不妊の心配は無い。結婚して、子供だって出来る」旨もよく話す。さらには「楽観的に考え、未来の素晴らしい自分を想像してみる」ことを何度も来る度にお願いした。

◇苦言を呈する良い友人を持つ

E女史はコンサルテーションの度に、人生における漠然とした不安から解放された。そのためか借金も含めて自分自身をずっと苛んで来た過去の体験が癒され、随分気持ちが穏やかになったという。後は自分に自信を持てるような行動を起こすだけである。できれば、思いやりのない彼氏とは直ぐに別れ、結婚を望むのならば、お見合いを勧める。さらには自分のためを思って、苦言を呈してくれる人とつき合い、取るべき行動を進言してもらう。人を見る目が必要だが、良い友人から何か言われれば、「ノー」と言えない性格を発揮して、その通り行動すればよい。

2年後、どうしようも無い彼氏とはとっくに別れ、借金もようやく全て返済。逆に節約癖がつき、貯金も出来てきた。さらにはお見合いも何度かして結婚相手を探していると言う。友人が相手ならよく喋れるのに、お見合い相手だと、急に緊張し、何も話せなくなる。ちゃんと話せるように指導してほしい」と、以前と打って変わって前向きな姿勢をみせてくれた。

E女史は他人に嫌なことは堂々と「ノー」と言える自信を徐々に身につけつつある。

届かぬ思いに自信喪失

T子（29歳女性）さんは燃え尽き症候群だった。仕事は勿論、最近は趣味にさえも関心が湧かない。総合人間ドックの結果では、不整脈も多発していた。仕事はコンピューターソフトの営業だったが仕事量が多く、1日2、3時間の残業は当たり前、さらにはトラブルが発生すると、一人で悶々と悩む。なぜなら、上司は上のご機嫌取りで忙しく、部下は放りっぱなし、相談どころか、仕事の指示以外は碌に話をする機会もなかったからだ。その時のドックの結果がきっかけで、1年後にT子さんは転職した。転職先はやはりコンピューターソフトを扱う企業だったが、正社員だと大変そうなので、派遣に切り替え、責任もストレスもかなり減った。でも2年過ぎても、身体の調子は今一つで、咳がよく出た。薬も大して効かなかい。2年目のドックでは不整脈がまだ多発しており、ストレス度も高かった。一体何がストレスなのか？　本人に再三尋ねたが、思い当たる節がないという。ところが、3年目の人間ドックでのカウンセリングで、初めてT子さんは心の内をカミングアウトした。

◇性格、性の不一致も自分のせい？

「先生、私、男性と根本的に合わないみたいで、このまま一生結婚できないのでは？　と悩んでいます」今の彼氏（30歳代前半システム・エンジニア）は長身でルックスもいい。ところが、お子ちゃまで、自分では何も決められないという。休日どこに行くかも全てT子さんが決める。でも彼氏は自分で決めないくせに、気に入らないとすぐ不機嫌になる。性的関係も自分勝手でうまく行かなかった。特にひどい早漏で、セックスまで到らないという。それでも、お互いに好きだし、結婚すれば何とかなるのではないかと思い、T子さんの方がたまりかねて結婚について「どうする？」と聞いても彼は何も決めなかった。それらは彼氏自身の問題で、T子さんは何も悪くない。また彼女が彼氏を変えることはできないと助言した。

すると「先生、実は2年前のドックの時に、すごく恥ずかしくて言えなかったことがあります」と重い口を開いた。それは、今の彼氏のことではなく、2年前に付き合っていた彼氏（30歳前後）とのことだった。その前彼もすごい早漏で、最後までセックスに到らなかった。また性格も今の彼とそっくりで子供みたいに自分勝手、でも自分でいろいろなことを決められなかったという。その前彼もコンピューター関連の仕事をしていた。その前彼の時には、T子さんは相手の問題と割り切り、半年後にあっさり別れた。

でも今度の彼氏もつき合ってみて、前彼と全く同じ性格さらにはセックスにいたっても同じ問題があることがわかり、T子さんは心底ショックを受ける。そういう子供みたいな優柔不断で気俣な性格を男性から引き出してしまう、さらには性的問題も自分が原因ではないかと、一人悶々と悩んでいたと言う。「今の彼で二人目なので、実は私自身が悪いのでは？と思うんです。だから男性と一緒にいていいのか？と最近は疑問に思い、毎日が辛いです」「T子さんが悪いことは何一つありません。だからといって、今の彼氏の悪い所が、結婚したら良くなるか？というと、その可能性はとても低いです。例えばアルコール中毒の男性が、とても愛情深い素晴らしい女性と結婚したとします。その女性が、その男性のアルコール中毒を治そうと、どんなに献身的に尽くしても、自分から本当に脱却しようとその男性が思わない限り、アルコール中毒は治りません。だから結婚前に見つけた相手の欠点は、結婚後も続くと考え、それでも生活していけるかを冷静に判断する必要があります」T子さんは、彼氏と話し合う。その結果、彼氏は当院で全身チェックを行い、何度かカウンセリングを行う。でも自ら進んでというより、T子さんを満足させるために来ていた。だから彼氏は自分を変えるための行動は何一つ起こさない。性的問題でも紹介した泌尿器科に結局行かなかった。

◇自己不信を抜け出すきっかけを掴む

その後3カ月して、T子さんがみえた。1カ月ほど彼氏と会っていないし、電話もしていないという。「先生から紹介された『愛しすぎる女たち』（ロビン・ノーウッド著、中央公論新社）という本を読んで、先生が言っていた意味がわかりました。私が彼を治そうと頑張り過ぎてたなって、気づいたのです。だから、やるだけやったから、もう後は彼に任せて、放っておこうと決めました。そう決断してから、身体の凝りが、すーって抜けてくる感じがして、随分楽になりました」その本では、アルコール中毒や暴力を振るう男性に対して、つき合っている女性または妻の多くが自分が男性を更生できると錯覚し、いつまでも一緒にいること、そして外からの干渉によって、そういう依存症は決して治らないこと、その男性と一緒にいる女性の方が逆に調子を崩し、病気になってしまうことを指摘している。

T子さんは、男性が本当に治りたいと思って、自ら行動を起こさない限り、どんなに女性が献身的なサポートをしても治らないことを理解した。その後すぐにコンピューター関連の仕事を辞め、前から誘われていた父親の貿易商の会社で働き始める。コンピューターの仕事でないと面白くないと思い込んでいたが、全く違う商社の仕事は、世界が広がる感じがして思いのほか楽しかった。

2年後、音楽の先生をしている男性との結婚式の案内を頂く。その半年後、新婚夫婦でドックを受診される。その際T子さんは、小生にウインクしてよこした。仕事も家庭も全て上手くいっていますよ、という暗黙の合図だった。

「すべて自分が選んでいる」の効用

J子さん（34歳）は真面目。看護婦という仕事柄か何事も手を抜かない。それは仕事ばかりか恋愛も同じだった。J子さんは商社の診療所に勤務、同会社のビジネスマンと社内恋愛で真剣に4年も付き合う。仕事も信頼され、人生全て薔薇色だった。だが、忙しくて彼氏に暫く会えなかったら、彼氏が電撃結婚。内緒の付き合いだったため、J子さんは一人パニック。以来無口になり、会社も休みがちになる。「疲れてるね」たまに仕事で会うオヤジ達の何気ない言葉がグサグサ胸に突き刺さる。「変わった」といわれるのが怖くて知り合いを避けた。仕事もミスが多く、上司から再三注意される。元彼を忘れるため、人の紹介で結婚もした。花婿は優しく舅姑も良い人達で申し分ない結婚だった。でも自分を偽っているようで辛かった。結婚後2年人に会うのが益々怖くなり、心身共疲弊していた。会社で元彼に会うと、身体が強張り息が止まる。全てが灰色でこの世から消えたかった。近所の心療内科では話し数分でうつ病と診断。大量の抗うつ薬と眠剤が出された。そんな時姉の紹介で当院に来られる。

◇人生での選択

Ｊ子さんは真面目過ぎて自分を追いこむタイプ。元彼と付き合った頃の輝いていた自分と比較し、今のくすんだ自分が許せなかった。最初のカウンセリングでは、Ｊ子さんが今どんな状況であるのかを十二分に聞く。２回目のカウンセリングで抗うつ薬を減らし、３回目からは、抗うつ薬を切ることができるようになった。４回目からはほぼ会社も有給の範囲でしか休まなくなる。最後の５回目のカウンセリングでＪ子さんはこの２年間の苦しみから完全に立ち直った。カウンセリングでは「人生での選択」について話し合う。

彼女に実生活で行ってもらったことは、気分も性格も食事も夫も、さらには元彼が電撃結婚したことさえも全て自分が選んでいると、その都度、心の中で何度も繰り返すことだった。自分が全てを選んでいる主体であることに気づけば、最悪から最良の状態に移行するのは容易い。回りの環境が悪いから、今の状況は仕方ないと思えば、そこから１㎜も動けない。立ち直るまでに半年かかったが、Ｊ子さんはカウンセリングが楽しかったという。なぜなら今まで、誰にも話さなかったことを思う存分、話しができる環境がとても新鮮だった。その中で彼女が一番印象に残り、今も使っている言葉が「人生はすべて自分で選んでいる」だった。人生に起こる良いこと悪いこと全てを自分が選んでいると思うと、今後の人生が他の誰かや物事に左右されず、自由に生きて行ける気がして、希望が持てるようになったという。

4章

家族のカタチ

フジツボ夫婦がうまくいく

K氏（61歳）は自動車部品メーカーのオーナーとして今も現役でバリバリ働いている。その奥さんであるS夫人（58歳）は、K氏の仕事を陰で長年支えてきた。ところが、この1年S夫人の具合が優れない。時折急に両手足が痺れるのと同時に胸の真中がキューッとなり、息苦しくなるという。近所の医者に行ったが心電図では何ともないという。単なる気のせいだろう、との診断だった。徹底的に人間ドックで調べた所、ストレス性の末梢循環障害。

これは普段何でも無いがストレスが慢性的に掛かることで、手足の先など細い動脈が益々細くなり、血流が各臓器に行かなくなり起こる病気である。ストレスの原因は人間関係にあった。しかもその一番の原因は夫のK氏にあったのだった。K氏とS夫人はいつも一緒に来られるが、ストレスの話になると、いつも大人しいS夫人が、夫であるK氏と結婚してから、今日に到るまでの行動や考え方がお互いに正反対であり、いかにS夫人は辛い思いをしてきたかを怒涛の如く語る。旅行でもK氏が米国に行きたいといえば、S夫人は絶対欧州でなきゃだめという。K氏がせっかちで、S夫人はゆったりタイプ、ご主人が野球好きでS夫人はサッカー好きとことごとく米国型と欧州型といった正反対の二人だった。好みも性格も正反対なのに、それをS夫人は30数年間ひたすら我慢してきたのだという。

◇互いに異なる遺伝子を選ぶフジツボ夫婦

海のフジツボは結婚相手を探す時、持っている遺伝子が似ているかどうかを察知し、もしそういう似たもの同士とわかればお互いに避ける。その機能によって優秀な子孫を残そうとする習性があることをお話する。だから逆に性格、行動が合わない方がうまく行く。診察に二人で見える度にご主人との違いをS夫人が語る。仕事に夢中になっているK氏は普段S夫人の話しに全く耳を傾けない。だからS夫人の普段たまっている思いの丈を語れる場所は当院の診察室だけなのである。当院に夫婦で来られるようになって1年、お互いに自分の方向に向かわせるのをやめた。さらにはお互いが正反対のものが好きであると言う事実を認め合うようになる。と同時にS夫人の胸痛発作も起こらなくなる。何度も当院でS夫人の話を聞いているうちに、KさんはS夫人の趣味がわかるようになり、彼女の言う通りの家を建てた。見に来て欲しいと言われ、ご自宅に遊びに行き、S夫人のお気に入りの部屋を見せて頂く。そこは目の前に森が見え、風が爽やかに吹き抜けるヨーロッパ調の素晴らしいお部屋だった。

ニキビから人生目標設計へ

K君は高校3年生の男子。2年生の終わり頃から顔の頬や顎にできたニキビが気になりだし、特に3年生になって好きな異性ができてから、とても悩むようになる。時には、このニキビのために死にたいと思うことが度々あったというから相当悩んだに違いない。父親には普段何も相談しないのだが、思いつめたのかこの時ばかりは、どこか好い医者はないか聞いてきたという。たかが、ニキビぐらいと思ったが、真剣な息子の顔を見て、笑い飛ばさず、幸いにも私のクリニックに相談にみえた。幸いというのは、たかがニキビの訴えの中に、精神的なものも含め、種々の病気が隠されている場合が多いからである。ニキビの治療のためカウンセリングを月1度の割合で始める。K君は少しおとなしめの極普通の高校生であり、とても真面目だった。ニキビを無くすための指導で、毎日30分走り、ニキビの元となる動物性脂肪が多い肉やチョコレートを控えてもらうように指導したところ、徹底的に行ってくれた。両親が心配して、少し食べるように指導して下さい、と言ってくるほどであった。

◇ニキビが出来易くなる一定の法則

その内、ある一定の法則がわかる。ニキビは少しずつ消えて、良くなっていた。ところが高校の勉強が何のためにやるのかはっきりしなくなったり、自分に自信がなくなると、決まってニキビが気になりだし、ニキビの全く無い綺麗な顔になりたいと訴えるのだった。両親、友達、誰が見ても以前より綺麗な顔になっていると言っても本人は認めなかった。3カ月に一度は写真屋さんに同条件で顔のニキビをアップしてもらった写真を撮り比較してもらった。それを見ても、K君は納得しなかった。そこで、精神療法として、自分の人生において集中できるもの、しかもいつもは絶対無理だと思って心の中で諦めてしまっているものに焦点を当て、それを引き出していく作業を行なう。彼は心の奥底では映画監督になり、世界をあっと言わせる映画をつくりたいと語るようになる。カウンセリング中、インターネット検索で世界的に有名な黒澤明監督がまずはデザイン学校に行っていたのがわかり、彼も美術系の大学を目指すことに決めた。世界を目指すため、英会話教室にも通いはじめ、学校の英語より楽しいという。そういうことがわかってから、K君は生き生きし、ニキビは多少残っていたが、青白い顔色がピンク色に輝き始めた。受験勉強に集中するおかげで、ニキビもそれほど気にならなくなる。普段の疲れを癒し、気持ちの上から元気にするため、大人も本当はもともと何がしたいのか心の奥底をたまには覗いてみることが必要だろう。

武道の勧め

M君は高校1年生。緊急で夜11時頃私の携帯に電話が入る。近所のゲームセンターで眼鏡の上から、理由もなく、いきなり殴られ、割れたレンズが目の中に入り出血。緊急手術も考え、大学病院の眼科当直に連絡し診てもらう。幸い角膜の傷だけで、手術には到らず、安心する。その後M君は母親に付き添われ、カウンセリングに来院。なぜか？ というとM君ばかりが同世代の高校生に突っかかられ、カツアゲに遭い、苛めにもあっているという。

「なぜ、うちのMばかりが苛められるのでしょうか？」と母親が心配する。「本当に頭来ますよ。こっちは何も悪くないのに、いきなり殴られるんですから」神経質そうな一重の釣りあがった両目をM君はきょろきょろさせ、小生に訴える。体型的には色白痩せ型で、一見ガリ勉君の感がある。ご両親が当院に10年来通っているので彼のことは小学生の頃から知っている。両親共働きで一人っ子。大人の中で育っているせいか、言葉遣いが妙に大人びて生意気な感じがする。趣味はTVゲームでスポーツはやらない。典型的な新人類である。

◇M君を変えた空手の稽古

「M君からは人を小馬鹿にしたようなオーラを感じます。医学的には精神科で精神病患者が前に来ると、プレコックス感といって独特の感覚があるのと似ています」自ら苛めを誘う雰囲気があることを指摘され、M君と母親は小生にむっとして改善策を求める。策は苛められたら即仕返しするような雰囲気を持つこと。それを自然に体得する処方として武道を勧める。柔道、剣道、空手、合気道何でもいい。気合を出し、声も大きくなる、さらに礼儀も重んじる。M君は最初絶対無理と断ったが、運動をかねてから勧める母親にも説得され、武道を習うことを決心する。その後すぐ空手の指導者につき、空手の基本型から組み手まで教わり、登校前30分近所の公園で毎日稽古を続けた。

3年後、大学入学時の精密検査で来院したM君は背も伸び立派な青年に成長していた。その眼差しは昔のおどおどした感じが消え、一人の男としての鋭さまで出ていた。空手を始めて1年で周りの同級生から馬鹿にされなくなり、外でも因縁つけられなくなったという。昨今、通り魔的事件で刺されたり、殺されたりするケースが増え、苛めの問題もひどい。私の時代もあったが、苛められる方にもパターンがある。口達者だが運動が苦手で、見た目歯向かって来ない感じの人に多い。そういう苛めの危険を自ら逃れるためにも、保身を目的とする武道はお勧めである。

登校拒否の幼児がえり

Iさん（42歳男性）は小学校の先生である。いつも胃が痛いと言ってはドックに来る。胃のX線や内視鏡をやってみると、大抵は潰瘍の手前であるびらん性胃炎がみつかり、暫くの間禁酒し、胃薬を飲んでもらう。今回はかなり深い潰瘍が出来ていたので訳を尋ねると、小学校6年生の娘さんがここ半年学校に行っていないという。理由は明快だった。担任の先生が凄く怖い。特に苦手な算数ができなくて厳しく叱られるというのであった。同病相憐れむで担任の気持ちもわからないでもない。そのうち学校に行くだろうと高を括っていた。それから1年後ドックに見えたIさんに娘さんのことを尋ねると、区立中学に上がったが、やはり登校拒否になって学校に行っていないという。今度の原因は奥さんだと宣う。奥さんの仕事が忙しく、時間がないため、子供達に一方的にガミガミ怒りまくるのが原因だというのだ。Iさんは子供部屋を作るために新居を買い、さらには娘さんが6年生の夏休みに米国のディズニーランドまで家族旅行をして、十分コミュニケーションは取れていると主張する。

◇中学でも登校拒否さらには拒食症に

奥さんのMさん（40歳）は娘さんが小学校2年生時の5年前から特別養護老人ホームにてケアワーカーをしている。子育てで家にじっとしているのが嫌なのと、自由に使えるお金が欲しかったことから2年間学校に通い、資格を取り、働き始めた。Mさんはご主人と違う日にドックに来られる。彼女の意見では、娘さんの登校拒否の原因は父親のIさんで、家でも先生として正論ばかり娘さんに押し付け、思う通り行かないと爆発する。でも自分も娘さんの話をちゃんと聴いてあげておらず、反省しているという。Mさんの母親に子供のケアを手伝ってもらったらというと、そんなことしたら仕事を絶対やめろと言われる、だから娘さんの登校拒否の件は実家には内緒にしているという。それからもI、Mさんの検査の度に娘さんについて別々に何度も話し合った。娘さんの家出、長年通っていた独身女性の書道の先生のところに1週間も寝泊りしていたこと。たまに学校に行く時、忙しい中、Mさんがせっかく作ったお弁当を全く食べずに捨ててくる。拒食症になり、どんどん痩せて来ていた。ある時、携帯メールをやり過ぎると注意したところ、新居の自分の部屋に机や椅子でバリケードして閉じ篭る。是非当院にカウンセリングに連れて来てもらうようにお願いしたが、娘さんは拒否する。話を聞く度に娘さんの悲鳴が聞こえてくるようだった。

I、Mさん夫婦は共に家庭騒動が起こると、お互い相手のせいにする。さらに悪いことには家庭や仕事のストレスから、子供の前でも平気で怒鳴り合いの喧嘩をした。またその度に娘さんの本当の気持ちも確かめず「お母さん、仕事続けていいよね？」と無理矢理承諾を何度も得た。その代わり自分の部屋や旅行、そして小遣いを代償として与えた。

◇男女より人間性で休職を勧める

心の調子が悪い娘さんには、普段自分がちょっと困った時にすぐ相談できたり、今日あったことを何気無く聞いてもらえる家族が必要なのだった。勉強の指示を出す有能な先生や家事をてきぱき時間どおりこなすワーカーを家族に求めていたわけではない。他人では結局限界があった。奥さんのMさんには、ご老人に対してよりも自分の娘さんのケアをするため、1、2年休職することを勧める。娘さんが遠慮せず、いつ話し掛けて来ても、ゆったり応えられるような時間的余裕を持てれば、必ず良くなるからと前々から話していた。その度にご主人がそういう役目をしてくれないからずるいと言ってMさんはなかなか休職してくれなかった。でもこれは男、女だからの問題ではない。冷静に夫婦の話を伺っていた時に感じたのは、お母さんのMさんを娘さんが特に求めているように感じたからである。

Iさんは真面目すぎて、娘さんの求めるものを察知し得る感受性は無かった。また娘さんの話を父親または友人として聞け分けられるような器用さも無かった。でもお二人に共通してお願いしたのは、娘さんの前では絶対に声を荒げるような喧嘩はしないということだった。登校拒否を起こす子供達はナイーブで感受性が強く、例え違うことで喧嘩していても、自分が原因で両親が喧嘩していると思い込んでしまうからである。中学2年生に上がるのを機会にMさんは休職してくれた。娘さんが帰ってくる時間には家に居られるようになった。

するとと驚いたことに、いつも自分の部屋に閉じ篭っていた娘さんが、急にMさんにべたべたくっついて甘えてくるようになったという。時には大きい身体で抱っこして欲しいと訴えることもあった。娘さんが小学校に上がる前から、Mさんが勉強や仕事で忙しくなり、より幼い弟もいたので、Mさんに甘えられず、ずっと我慢してきたのだろう。こういう時は好きなだけ抱っこでもハグでもしてあげることである。彼女の中で小さい頃満たされなかったものを今補おうとしていた。1年経って、娘さんの登校拒否は治り、元気に学校にも行くようになったという。でもそれを嬉しそうに伝えるIさんは、「怒鳴らなくなったのがいいんですね。先生も10年前より凄く話しやすくなったし、聞いてもらっている感じがして、いいですよ」といかにも学校の先生らしいお褒めの言葉を授かった。

やはり休職はIさんより、Mさんの方でよかったと確信する。

Mr.ベビーブルー症候群

ベビーブルーとは育児の疲れから主婦がうつ的状態になることを言う。ところが、最近これが直接子育てをしていない夫にも増えて来ている。

Yさん（35歳男性）は某一流企業の一級建築士として、バリバリ活躍していなければならない人であった。ところが、子供が出来て半年、妻がベビーブルーに陥り、Yさん自身も体調不良で当院に相談に見えた。

症状としては後頭部痛と全身のだるさ。吐き気と息苦しさが、時折Yさんを襲う。総合人間ドックでの検査では異常所見は認められず、うつ状態に伴う身体症状との診断を下した。その要因として考えられたのは、出産後の妻との関係であった。今まではそんなこと無かったのに、出産後、妻から残業での帰りが遅すぎると何度もなじられるようになったという。

会社では、30歳代半ばにしては、かなり期待されて仕事も山盛り任されていた。そのことを妻に話しても、聞く耳持たずで、とにかく子育てを一緒に手伝って欲しいの一点張りであった。そういう意味では会社と家庭の板挟みになっていることを人間ドックのコンサルテーションの中で打ち明けてくれた。

また最近特に、帰宅時、妻の表情が暗く、無言で泣いていることが多いため、会社からそのままどこかへ消えてしまおうか？と何度も考えるという。このように妻のベビーブルーが夫に影響し、夫までもが落ち込み、いろいろな不定愁訴を訴えてくる方が以外と多い。これを「Mr.ベビーブルー症候群」と当院では命名している。一般的に誰の要望にも応えようとする生真面目で優しいタイプの男性に多い。

Yさんは誰にも相談できず、独り悩んでいたため、カウンセリングを始めてみた。その中で、昔は大家族で子育てを分担したが、核家族化した現代では妻一人に子育ての重圧がかかり、症状には差はあるものの、大抵の妻がベビーブルーを体験する。そのため子供が5歳以内の離婚率が最も高いことをお話した。Yさんは自分と自分の妻だけが異常と思い込んでいたのが、統計的に多くの人が自分と同じ悩みを抱えているのを知る。それだけでも目から鱗が落ちる思いがしたという。現在Yさんは、妻共々カウンセリングを行い、二人で快方に向かっている。

夫婦で家事分担がストレス

毎年、宮城県からドックに来られるM夫妻は、結婚6年目だが、とても仲が良い。ドックも再検査も一緒にコンサルテーションに入り、お互いのデータを聞いて帰る。

M氏（45歳）は大学準教授で、英語を教えている。奥さんのT子さん（42歳）は専業主婦で、子供もいないため地域のボランティア活動に勤しむ。T子さんは結婚前から当院に通っており、結婚して夫のM氏も一緒に来るようになった。仲睦まじく見えるため、結婚生活にお互い満足し、ストレスはないと思っていた。ところが或る年、人間ドックの結果を全て話し終わった時、M氏の方から「先生、相談に乗って頂きたいことがあります」と思いがけない申し出があった。それは彼のストレスについてだった。M夫妻は家事の分担をきちっと決めている。M氏の分担は食後の皿洗いとごみ捨てと休日の掃除である。それ以外、食事や洗濯などはT子さんが受け持つ。このところM氏の仕事が忙しくなり、そんな中、掃除や皿洗いしている時、のんびり昼寝や長電話するT子さんを見ると、怒りが込み上げてくるという。

M氏は外で仕事もしているのだから、分担を少なくして欲しい。でもT子さんは絶対に譲らない。「あなただって、私が早く起きて朝食を支度している間、寝ているか、新聞読んでいるじゃゃない！」

その前年もM氏から時間が足りない、特に生徒の採点に時間が取られ、期末毎に自分の論文が進まず、どうしたらよいか？と相談を受けた。自分をコンピューター化し、冷静、客観的に点数をつけるように勧める。つまり点数が低くて、生徒が留年してしまうのではないか？と悩みながら採点するから、時間が足りなくなる。思い入れせず、どんどん点数をつけ、もしそれで生徒が留年しても、M氏の教科の点数より、全体的にできないからその生徒は留年したのだと思いなさい、とアドバイスする。真面目なM氏はその通りにほぼ機械的に点数をつけ、忙しい年度末をうまく乗り切れた。その時T子さんが、論文の誤字、脱字がないか校正を手伝ってくれたのだった。「そうよ、私だって、あなたの仕事を手伝っているじゃない、私ばっかり楽しているように言わないでよ！」T子さんの剣幕にM氏はたじろぐ。でもドクターという公正なジャッジメントがいるためか、M氏はいつになくT子さんに反論する。「でも僕の仕事もどんどん増えてきて、以前家事の分担を約束した時と随分状況が変わったんだよ。しかも全くやらないのではなく、少し減らしてもらえないかと言っているだけだよ」「私だってボランティア活動で忙しいのよ。忙しいのはお互い様だから、家事の分担は今までどおりよ！」「でもお金を稼いで来るのは僕だけだよ」夫婦喧嘩での夫からの最後の切り札が終に登場したので間に入る。

◇お金持ちになる秘訣――家事を進んでやること

「お二人ともそんなに家事が嫌ですか？　家事が詰まらない無価値なものという印象ですね」と申し上げる。

「家には神様が住んでいるのは、お二人ともご存知ですか？」当然ご夫婦共に首を横に振る。

「実は、家に住んでいる神様が、仕事ではなくて、家を綺麗にする人をお金持ちにしてくれるんですよ。そのことを信じて億万長者になった人はいます。そういうの信じられますか？」

二人共、興味のある顔をするが半信半疑だ。「本当にそのことを信じて、やっておられる方がうちの受診者でもいます。その人が言っていたのは、3カ月毎日トイレ掃除を欠かさず続けていたところ、ある時子供の教育費で急にお金が要り用になった時、ボーナスが予想以上に出たとのことでした。でもこれはひとつの例えです。もし1回の家事が何万円にもなるとしたら、どうします。やりますか？　しかもそれが、二人の共同のものになるのでなく、やった人だけにお金が入るとしたら、どうします？」

するとM氏は「そりゃあ、喜んでやりますよ。お金になるなら進んでやりますすね」

「そうでしょ、やるでしょ。それだけの価値が家事にはあるのです。私も医師国家試験の前に4時間睡眠で、16時間勉強している時、頭がぐちゃぐちゃになって、変になりそうでした。そんな時、毎日夕食後家族全員の皿を洗っていました。なぜだか頭がすっきりするのです。森田療法というのがあります。これは精神的に問題のある人に対して今までの人間関係から完全に隔離し、そこで畑を耕したり、家の掃除や力仕事などをやらせて回復を図るという療法です。毎日くたくたになるまで、身体を使うことで、精神的に良くなる効果があるのです。特に頭ばかり使う仕事の人にとって、家事は、精神的な安定には持って来いです。ただ、それが価値のあるものだという認識が必要です。それが嫌なもの、価値の無いものと思ってやり続ければ、ただの苦痛でしかありません」T子さんも「そうですね。精神病になってしまったら、それだけで働けないし、逆に治療費もかかって、失うものが多いですよね。それを考えれば、家事をやることで、お金がたまるというのはあながち嘘でもないですね」「そうですよ。ご飯も自分の家で作れば安くて済むのに、外で食べれば少なくともその3から5倍は掛かりますからね」「何かすっきりしました。帰ったら早速家の掃除をします」とM氏。1年後、M氏は大の掃除好きになっていた。凄いお金持ちにはなっていなかったが、顔色がとてもよく、データも改善していた。さらに3年後には、M氏は教授に就任したという。だから家事でお金持ちになるというのは、あながち嘘ではないだろう。

ある社会学者の苦悩

Bさんは今売り出し中の社会学者（某国立大学準教授）、テレビに雑誌にと大忙し。しかし彼には公表できない悩みがあった。そのためにストレス度が高く、普段から好物のチョコレートやケーキなど高糖質、高脂質の美食が止まらなかった。つまり過食より過美食の傾向にあった。人間ドックや再検査の度に脂肪肝や胆嚢ポリープ、高脂血症を指摘され、心筋梗塞予備軍と当院で注意された。Bさんの悩みとは妻との不仲だった。彼の専門分野が社会学で、特に家族問題を得意とし、家族が仲良くやっていける方法を研究していたから人には言えなかった。性格の優しいBさんは妻に対して怒鳴ったり、暴力を振るうことなど全くなく、なぜ妻が機嫌悪いのか分からず、困り果てていた。Bさんの妻は強迫神経症の気があり、何事も完璧でないと気がすまない。そのため、のんびり屋のBさんの行動が気に入らず、子育てから家の建て替え、お金の使い方と全てに対立したが、最終的には妻の言う通りになった。離婚を切り出したところ、妻が包丁を持ち出したので、これも諦めた。

◇仕事と家庭は相成り立たず

心理学者や医師にも相談したが、自分が好きで結婚したのだから仕方無い、彼女の好い所をクローズアップして仲良くやれというだけで何も解決しなかった。唯一、当院のカウンセリングでのみ、家庭と仕事の両立は難しい、うまく行っている仕事にエネルギーを注ぎ、家庭の方は適当に流しておいた方がよいと言われたのが救いになる。彼は徹底的に自分と同じ社会学者の家庭環境を研究した。そこでソクラテスを彷彿とさせる一つの結論に達する。

それは仕事で成果をあげている学者は家庭がだめで、仕事がそこそこの学者は家庭が円満という結論だった。これは一般にも通じる。家庭、仕事ともうまく行っている夫婦は少ない。文武両道という言葉は両立困難だからこそよく使われる。だから仕事が良好ならば、家庭がうまく行かなくても、悲観する必要はない。ただし、浮気や家庭内暴力、ギャンブル依存症でうまく行かないのは論外。あくまで真面目に仕事をしている場合のみである。最近、性格の不一致という名の元での離婚が多い。一緒に暮らしてみて初めて配偶者の性格なり、行動様式がわかる。それが気に食わない、子供ができたら嫌になったと辛抱無く、別れる夫婦が多い。しかし、家庭がうまくいかなくても離婚せず、我慢しながら、生き生きできる活路を見出すことは、人生でとても大きな意義がある。Bさんはより一層仕事に最大限のエネルギーを注ぎ、それが深まることに人生の喜びを見出している。今、彼の過美食は止まっている。

セックスレスの背景にあるもの

2007年4月に豪州シドニーで開催された「世界性の健康会議」によれば、世界におけるセックスの年間平均回数106回（週に2・03回）。一方、日本人は48回（週に0・92回）で最下位と発表された。それも3年連続の世界最下位で、日本人にとっては衝撃的なデータであった。ちなみに世界で最もセックスの回数が多いのがギリシャで、年164回（週に3・15回）とめまいが起こりそうな数字である。これらの数字は日本で近年話題となっている〝セックスレス〟の増加を裏付けるものとなった。ただし、この〝セックスレス〟と言う言葉を聞く度に、男性というより夫としては辛いものを感じる。なぜならば、夫婦ならば常にセックスをしていなければいけないという義務感を普段から夫は感じているからである。

◇心のつながりを持つ努力を

U氏（当時46歳）は36歳から当院の予防医学人間ドックを毎年、欠かさず受けている。

仕事は不動産から飲食店まで多角経営する中小企業のオーナーで、今が働き盛りであり、つき合いもあり、酒席も多く、睡眠時間も短い。さらには身近で突然死している友人も何人か見ており、体調管理が一番と当院に豆に通ってくれていた。

そんな折、U氏は下の子供が生まれてから、4年間ほどセックスレスが続いているという。その理由は、最初の2年間は下の子供の子育てに追われて、妻のN子さんがその気にならなかったためという。しかし、その後の2年間は上の子供が思春期に近づき、こそこそセックスしなければならなくなり、そういうセックスに対する情熱も気力もU氏には無くなってきたからとのことだった。

だが、N子さん（当時41歳）は、最近生理が長引き、顔が火照る上に熟睡感がないと言い、体調不良はセックスレスのせいだと訴え、それはセックスを求めて来ない夫のせいだとU氏を責める。さらにはU氏に「どこでセックスしているの？」としつこく聞き、浮気も疑っているという。

N子さんの症状は年齢的には早めだが、更年期障害が原因だろう。浮気疑惑に答えずにいると、会話は極端に減り、無視されるようにもなった。「時々頭にきて、いっそ離婚してやろうかと、本気で思いますね」とU氏は言う。「昔は魅力的に見えた妻が、長年一緒にいて、セックスの対象とは見られなくなりました。それを無理にすれば、妻を騙している気がしますし、途中でだめになってしまう感じがします。私の我が儘でしょうか？」とも悩んでいた。

そこで「夫婦が生涯、お互いにセックスの対象であれば理想的です。でも男性はナイーブです。ですから出産に立ち会うことで、奥様を神聖なる母親としてしか見られなくなったり裸や下着姿で部屋を歩く奥様をしょっちゅう見ていれば、女性というより家族としてしか見られなくなり、勃起不全にも陥りますよ」と慰めた。そして「子育てが終われば、またセックスできる可能性はあります。ただ、心のつながりが切れていたら、セックスがあっても、結局はだめになります。奥様も更年期障害とセックスレスを乗り越えようとしているのです。冷たくされても、温かく接してあげて下さい。それには毎日、どんなに無視されても、優しく話しかけることです。作ってもらった夕飯が美味しかったことを誉めたり、今日会社であった楽しい話などを話して上げて下さい。奥様は聞いていないようで、聞いているものです。そうすれば時間はかかりますが、必ずまた夫婦関係は良くなりますよ」とアドバイスした。

◇すれ違う男女の意識

〝セックス〟と聞くと、夫婦ならセックスをして当然、という強迫観念を感じる男性は多い。だが、男性は心理的に優位な立場にないと、勃起不全を起こす。平日はビジネスで戦い、週末は子供の世話や家事の手伝い、さらには妻の顔色を窺っていたのでは、性的衝動が自然と起こるのは難しい。

N子さんは「セックスレスは私のことをもう愛していない証拠」と考える、多くの女性の典型だ。ところが、U氏のように、多くの男性は愛と性を切り離して考える。だから愛していない女性とでもセックスが出来るし、愛があってもセックスができないことも起こりえる。それがセックスレスに対する捉え方の違いを生み、男女それぞれのストレスになる。

17年間のカウンセリング経験から、うまく行っている夫婦には2つのパターンがある。1つは食事や買い物、旅行など、外で会う機会を多く持つ夫婦だ。それによってお互いを男女として意識し続けることが出来る。もう一つは、仕事上の理由で夫が週に数日しか家にいないなど、夫婦間に適度な距離を保って暮らす場合である。

U氏はその後も夫婦の会話が少なく、こちらが話しかけても無視されると、来院の度にこぼしていた。その都度、無視されても怒らず、常に話しかけるようにして、会話の機会をできるだけ持つように励ます。3年経地、「別にセックスがあったわけではないのですが、半年前から、笑顔で妻がよく話しかけてくるようになりました」と、明るい笑顔を見せるようになった。元々明るい性格のU氏だが、本当に心から嬉しそうな様子だった。

世の妻達よ、是非笑顔で、夫に話しかけて下さい。それだけで夫は充分に満足するのです。

ドメスティック・バイオレンス（配偶者暴力）

Sさんは42歳の養護施設で働く女性である。彼女には大きな悩みがあった。それは健康と家庭両方の問題だった。5年前から当院の人間ドックで診ているが、頭痛がひどかった。そこで脳のMRIで精査したところ、脳の血管の太さが正常の半分以下しかないモヤモヤ病が見つかる。これは脳出血が起こりやすく、突然死も多い。以来血管をきれいにする薬を飲んでもらったが、2年経っても血管はより細くなり悪化していた。何故か？　Sさんの場合、家庭問題がストレスとなり、病気を進ませていたのである。家庭問題とは夫の暴力だった。

12年前に子供を妊娠してから、夫は人が変わったようにSさんに暴力を振るうようになった。殴る、蹴るだけではない。時にはお湯のみの熱湯を浴びせてくる。言葉でも「お前は人間じゃない」「汚いから俺の物にさわるな」「お前みたいな馬鹿は見たことがない」といった罵声怒声を毎日Sさんに浴びせる。いつ夫から殴られるかと緊張で家庭の方が仕事場より休まらない。でも何とか無事に女の子を出産した。さすがに子供が赤ちゃんの間は夫の暴力も大分収まっていた。しかし、子供が大きくなるにつれ、夫の暴力はまた現れ始めた。特に夫に対し、ちょっとでも口答えをすると、急に夫は怒鳴り出し、暴力を振るった。

◇DVがあっても別れられない理由

夫は子供には優しかった。これがせめてもの救いだった。娘さんが小学生になると、母親のSさんをかばうようになる。そうすると、夫は皿を割り、ドアを蹴り、大きく穴を開けることもしばしばあった。妻のSさんにだけ暴力を振るう、こういう場合、単に家庭内暴力というより夫婦間で起こる〝ドメスティック・バイオレンス（配偶者暴力）〟（略称：ＤＶ）という。普段会社では大人しく内向的なタイプに多く、弱い立場の人に暴力行為に及ぶ。不況が続き、会社もきつく、どこにも発散できないストレスを妻に暴力でぶつける例は増えている。特に妻が歯向かわないとつけあがり、余計に暴力の程度はひどくなり、その回数も増える。

誰からも早く別れた方がいいと言われ、自分自身も頭ではその方がいいのはわかっていた。が、Sさんには決心がつかない。何故なら暴力を振るわれても、一人ぼっちになってしまう方が怖かった。また一軒家を夫婦名義で建てたばかりで、子供を抱えながら一人でローンを支払っていく自信が全くなかったからだ。

ある時、当院にてSさんにモヤモヤ病のことを夫に伝えるべきだと申し上げた。今までも体調不良で、通院のことは話していたが、病名までは言っていない。頭を叩かれたら、脳出血で死ぬ確率が10倍以上あることを夫に伝えてもらう。そうなれば、夫自身、殺人罪に問われ、刑務所行きになり、子供は一人きりになってしまう。ただ、この話を聞いて、夫が逆上し、余計に酷い暴力をふるうかもしれないので、二人きりの時ではなく、子供がいる前で話してもらった。もし疑うなら、当院で説明することもつけ加えてもらう。すると、夫の肉体的暴力は止まったという。言葉での暴力はひどくなったが、殴る、蹴るが無い分、Sさんはほっとしたという。

◇夫だけでなく、娘とも別居

ところが、その後すぐ夫から別居の申し出があった。考えさせて欲しいと、当院に相談にみえた。肉体的暴力は無くなっても、いつどうなるかわからないから、別居した方が心身ともによいことを申し上げ、間もなくSさんは別居に踏み切る。丁度、娘さんが中学生に上がるタイミングで、娘さんは父親である夫と住むことを選んだ。母親に暴力を振るう父親を見て育ったから、当然Sさんを選んでくれるだろうと彼女は思っていたので、ショックだった。しかし後で、その訳を父親のいないところで、そっと娘さんはSさんに耳打ちしてきた。Sさんとはいつでもすぐ会えるが、父親とは別居したら、もう2度と会えない気がしたからだという。あんな夫でも娘にとっては大事な父親なんだなと、思うと思わず涙が出た。でも2年も経たず、娘さんはSさんの元に戻ってきた。やはり夫は娘さんの面倒を全く見なかった。最初は優しかったが、段々と娘さんにも声を荒げるようになり、娘さん自身が身の危険を感じるようになったという。その後、夫は一度も娘さんに会いに来なかった。結局5年後、娘さんの大学進学を期にSさんは正式に離婚する。慰謝料も何もなかった。でも別居して娘さんも戻り、数年経ったら、経済的なことも含め、一人でやっていく自信がついたという。これも人間ドックと3カ月ごとのカウンセリングが、心の支えと勇気の源となり、正面から夫の暴力を振り切ることが出来たとSさんは喜んでいた。

さらに6年後、娘さんが嫁ぐことになったと報告してくれた。「10年以上、健康や日々のストレスに関し、親身になって相談にのってもらったので、あの子が嫁ぐまで生きてこられました」と、しばし感涙に浸る。しかし、すぐに笑顔を見せ、「これからも10年以上生きて、孫の面倒をみたいから、先生いつまでも宜しく」と昔よりずっと前向きになったSさんであった。

嫁姑の狭間に立って

Z氏（38歳）は大手電気メーカーの技術職。某私立大学工学部、大学院を卒業し、現会社に就職する。父は学生時に肝臓癌で倒れ、一人息子のZ氏は母と長く同居していた。そのため初婚の時は同居したが、3年で夫婦お互いの我が儘で離婚する。その後、友人の紹介で知り合ったK子さん（36歳）と再婚する。彼女は同居を嫌がらなかったが、念のためと再婚時には実家近くのマンションを借りる。結婚2年経つが、話が合い相性もいい。問題は母が子離れできず、週一度は夫婦で顔を出さないと機嫌が悪かった。週末来ないと必ず週明けにZ氏に直接電話が来て、K子さんの悪口をさんざん言った。ある年の夏休み、Z氏は普段忙しい罪滅ぼしに妻との欧州旅行を計画する。旅程の決定後、報告に行くと、急に母が「人生最後の思い出に一緒に連れて行って」と何度も懇願する。仕方なくK子さんに了承を取り、3人で出かけた。一時が万事そんな調子だ。母にはZ氏夫婦の時間も尊重して欲しい。でも父を早く亡くし、一人暮らしの母が可哀想で、そう面と向かってはっきりとは言えなかった。

◇妻はうつ状態で投薬中

実はK子さんにも離婚暦があった。Z氏との結婚前から彼女はうつ病で薬を飲んでいた。原因は前の結婚でできた子供が心臓病で、生後半年で死んだことにあった。だから子作りにK子さんは不安感が強い。でもお互い歳だし、彼女が薬をやめたら、子供を作ろうと話していた。心療内科医の勧めで、K子さんは9カ月前から退職し、専業主婦になる。でも家事に今一つ熱が入らない。同時に太ってきた。だからこそ食事には注意して欲しいとZ氏は思ったが、言えなかった。K子さんは、仕事を辞めて生き甲斐を失い、輝きも薄れていた。お正月や連休に、Z氏の母親と夫婦3人でいると、うつが悪化し、薬の量が逆に増えた。そんな時、妻の通う心療内科医から急に呼び出される。「K子さんの病状がよくならないのは、あなたのせいです」といきなりその医師から言われた。理由は、妻より母親を大切にしているのが問題だという。「つまり、あなたはマザコンでしょう」とまで言われた。それがショックでZ氏自身具合が悪くなる。マザコンと呼ばれたくはなかった。自分の母親を大切にすることを全否定された気がして切なかった。そのため母の元に2週間顔を出さなかった。すると物凄い剣幕で母から電話が来た。仕方なく母の家に行くと、母は嫌味やK子さんの悪口を散々言い放ち、終いには「こんな目に遭うなら、死んだ方がましだ」と泣き崩れる。

◇嫁姑の狭間でマザコンといわれ、うつ状態に

Z氏は仕事で忙殺されている上に、プライベートでも嫁姑の間に挟まれ、とても辛かった。そんなショックの数々を抱え当院に来る。Z氏が言う。「仕事にも支障が来て、僕自身参っています。事実、会社の産業医にも抑うつ状態にあると言われていて、嫁も母も協力的ではありません。いつも家族3人で仲良くして、お互いの悪口はやめようといっているのに」

「嫁姑は仲良くすべきという、Zさんの理想があなたを苦しめているのでしょう。やるなら思い切り喧嘩して下さい、僕にはどちらも大切なので、どちらの味方もしません、と言う立場が大事です。そうすれば馬鹿らしくなってお母さんも奥さんも喧嘩などやめますよ」

「そんな風に本音で言えたら、どんなに楽でしょう。怖くてストレートにはいえません。妻には、母はこういう人だから、こうしてみたらとアドバイスしたり、母には、こうやれば嫁とうまくいくから、と優しく諭すように言いますね」

「それは過干渉です。各々の話はよく聞くことは大切です。でも、その後は大変だねえ、苦労掛けるねえ、と労いの言葉をかけるだけでいいのです。ああしろ、こうしろは言わない方がいい。むしろ、仕事頑張るから二人とも応援して欲しいという方がいいですよ」

「あとどちらにも平等に気を使って来たのに、マザコンと言われたのが気になります。言われた時はガクッと全身の力が抜けてしまう感じでした」

「男というより赤ちゃん扱いされた感じがして、ショックですよね。僕もよく奥さんにマザコンと呼ばれていますから、わかります。それ程、男性がショックを感じると女性はわかっていません。男性の8割は大なり小なりマザコンですよ。マザコンっていうと、まるで昔のTVドラマで流行った母親無しでは何も出来ない冬彦さんを想像しますが、単に心配して母親に電話するのまで、そう言われちゃかなわないですよね」

「自分だけがマザコンだと思って落ち込んでいたのですが、そうじゃないんですね。そうとわかっただけで、何だか元気が出てきました」それから4カ月後、見違えるように元気になってZ氏はやって来た。「先生の言った通りでした。母親にも妻にも仲良くしようとか悪口言うなと言うのをきっぱりやめ、ただお互いの愚痴を聞いているだけにしました。そうしたら逆に母親が逆上したり、妻がそっぽ向くことも少なくなったんです。妻の抗うつ薬も減りました。やはり気がつかないうちに僕が、ああしろ、こうしろと言い過ぎていたんですね」

「家族のことを心配して当然ですが、それでも客観性が必要です。他人だったら放っておくところを放っておけなくなるのです」以前より妻のK子さんとの楽しい会話も増えてきた。というよりも、今までと違い、K子さんが話すのをZ氏が聞くことが圧倒的に多くなったという。これからは仕事に打ち込めますと、張り切るZ氏であった。さらにその1年後の人間ドックで、お子さんができたという報告をしてくれたZ氏は、本当に嬉しそうだった。

大学ハラスメント

G氏（52歳）はいつも物静かで、誰にでもにこやかに接する、いわゆる紳士である。安定した家業を継ぎ、一人息子も大学生となり、ストレスは皆無だった。当院には夫婦で来られ、お互いの身体を心配し労わり合うほど仲睦まじかった。ある時相談事があると、珍しくG氏独り来院された。「実は妻から一方的に離婚を迫られ、受理してしまいました」という。こんな重大事をいつものように静かに打ち明けられ、あの鴛鴦夫婦が何で？と驚くばかりだった。

原因を聞いても、妻のI子さんはちゃんと答えようとしない。このところG氏が忙しく、家庭や妻のことを振り返らなかったためかと思い、なるべく早く帰り一緒にいる時間を増やしたが、彼女の決意は全く揺るがなかった。今までも家業が忙しく遅い時は多かったのに、なぜここに来て急に離婚なのかとG氏は首を傾げるばかり。ただこの10年間、G氏が自分の出身高校、大学のOB会の幹事や世話役を引き受け、そのための打ち合わせや会合がひっきりなしだった。

◇夫が大学仲間と交流することが苦痛に

特にG氏は一貫教育の有名高校、大学を出たため、同級生が多く、彼の性格の良さから周りからの信頼も厚かった。だからOB仲間達がしょっちゅうG氏に電話し、自宅を訪れた。ところが顔を出さなくても、その度にI子さんはストレスを感じていたという。彼女は高卒だった。ただ実家はかなりの素封家で、お金の問題で大学進学をしなかった訳では無い。父親が昔気質の人で、女性の幸せは大学より結婚にあるという、頑な考え方の持ち主だった。I子さん自身は大学進学したかったが、高校卒業と同時にG氏とお見合いし結婚した。子育ても終り、余裕の出てきた今頃になって、沢山の大学友人から電話や訪問があるG氏のことが羨ましくて仕方なかった。G氏の大学ソサエティーへのボランティアをやればやるほど、I子さんは苦痛を感じ、まさに大学ハラスメントとなる。これは離婚後半年経ってから、彼女からG氏が直接聞いた話である。

夫婦とも大学卒でも、夫が無名大学で妻が有名大学出身だと夫が大学ハラスメントを感じるのはよく聞く話だ。ところが夫が有名大学、妻が無名大学出身でも、妻が大学ハラスメントを感じる時代である。昔は夫の学歴や仕事を妻は誇りにし満足できたのが、今はそうではない。女性自身が良い仕事に就き、周りからの賞賛を求める。離婚後1年、ようやくG氏はショックから立ち直る。新たに出店もし、一人になった穴を仕事で埋められるようになった。

高校生を持つ母親のストレス

Tさんは48歳の主婦。夫は建設会社社長で経済的にも恵まれた生活をしている。ただこの半年間、身体が重くやる気がでない。近所の医者では「更年期障害でしょう」の診断で薬が出たが、改善しない。当院の人間ドックでは、ストレス度が高く、多数の胃潰瘍瘢痕があった。胃薬で多少改善したが、完全ではなかった。ストレスの原因は次男で高校1年生のY君にあった。彼はクラブ活動のやりすぎで高校1年生で留年、以来Tさんが何か注意すると「うるせえ、馬鹿野郎!」と今まで聞いたこともない悪口雑言で返すようになる。運動の成果か身体もがっしりし、声も大きく、親ながら恐怖心を擁く。最近Tさんはまるで腫れものに触れるかのようにY君に接する。時折機嫌のよさそうな時に将来の展望を聞くと「先のことなんかわかんねぇ!」とすぐ不機嫌になる。長男の時とは全く違い、心配で高校の担任に相談に行く。だが、担任は「確かに落ち着きはないですが、近頃の高校生はあんなもんですよ」と取り合ってくれない。そこでTさんは当院にY君のカウンセリングを依頼してきた。

◇気の合う家庭教師が何よりの処方箋

　実際来院するか不安だったが、来てみれば結構素直に何でも話してくれた。自分が留年して周りの生徒がみんな年下でやりにくいこと、クラブ活動もあと1年で自分が元いた学年と一緒に引退するかどうか迷っていること、物理が苦手で、どのように対処すればいいのか？留年したことで、進学や就職先はどうなるのか？　彼なりに一人で多いに悩んでいた。1時間も話した後「先生何かすっきりしました！」と日に焼けた笑顔が印象的だった。彼への処方箋は、何でも相談できる年上の家庭教師だった。当院のバックヤードを手伝ってくれている国立T大大学院生のK君に事情を話し、勉強と共に話し相手になってくれる家庭教師として、Tさんのお宅に定期的に行ってもらう。1年間ずっとK君がY君をケアしてくれた。

　ケアといっても、勉強で分からないところを教えてあげたり、ちょっとした悩みの話し相手になったりと、特別なことはしていない。時折、K君にY君の状態を聞いてみる。段々いろいろなことに前向きになり、とてもいい感じであるとのことだった。Y君は次の年、無事に進学した。それだけでなく、クラブ活動も勉強も留年する前より積極的に行うようになり、人が変わったという。母親への受け答えもちゃんと真正面からするようになり、Tさんはほっとする。当然、彼女の体調も復活、胃の調子もよくなり、元気になった。今では自分の母校である女子大学のOGのための幹事役を新たに引き受け、ほぼ毎日楽しく出かけている。

子の病から見えた言葉のＤＶ

Ｓ子さん（16歳）は、体調が優れず、体重がどんどん減ってきていると言う。ご両親と当院に来られた時、身長１６０㎝で体重が34㎏と、かなり痩せていた。だが、半年前は45㎏あったという。人材派遣会社の役員である父親のＯ氏（50歳）は、この病気「神経性食思不振症」に関する本を読みあさっており、「体重が30㎏を切ったら命に関わる」と、今すぐに最も効果のある治療をはじめて、完全に治して欲しいと捲し立てた。

◇妻への暴言に萎縮する娘

精密検査の結果、高脂血症、低タンパク血症と肝機能障害が認められた。普通痩せているのだから、血液中のデータはどれもきれいで悪いことはないだろうと誰もが思う。ところが、痩せて飢餓状態が長く続くと、脳に少しでも栄養分を送ろうと、体中の脂肪や筋肉が溶け、血液中にコレステロールや中性脂肪となって出てくる。だから痩せているのに、脂肪肝になっていることが多い。S子さんの血液データは神経性食思不振症の典型的な所見を呈していた。総合的に見て、万が一の時に入院できる専門病院を紹介する。だが、彼女のような若い女性患者がいっぱいで、カウンセリングも入院も半年先だという。

半年も待っていられないという思いは、本人はもちろんご両親も私も一致した。そこで、当院で状態を診ながら、毎週1時間のカウンセリングを始めることにした。3週間は、体重は減りも増えもしなかった。その間に、O氏が妻のE子さんに対し、日常的に暴言やきつい言葉をぶつけているのが分かった。母子でのカウンセリング中に「S子の病気は私のせいだと言われます」と、母親のE子さんが泣きながら話してくれた。直接的な暴力は無くても、言葉による立派なドメスティック・バイオレンス（DV）だった。

O氏は当院にも脅しとも取れるメールを送って来た。S子さんの体重が増えない理由をただす内容だったが、それはまるで仕事ができない部下を責め立てるような物言いだった。私はO氏への返信で、治療に関しては信頼して欲しい、時間をかければいいと言うものでもないが、ある時までに絶対治すということは約束できない、その理由として期限を区切れば、逆に娘のS子さんがプレッシャーを感じ、より悪化する可能性があることを書いた。さらには、これは逆効果になるかもしれないと思いつつも、とても丁寧な口調で、娘さんの治療のためにE子さんに対する暴言をやめてほしいとお願いした。

◇心の安定が回復促す

S子さんの治療で大切なのは心の安定だ。ところが、家庭で父親が母親を言葉の暴力で追い込めば、娘のS子さんまで追い込まれる。現に母親が泣いている時、S子さんは「自分が原因で家族がいがみ合うなら、いっそ死にたい」と泣いた。さすがに妻への言葉の暴力が娘の病気に関係しているのを指摘されて以来、O氏は態度を改めた。S子さんとE子さんも、O氏は人が変わったように、家で怒鳴らなくなったと喜んで報告してくれた。

それからは気持ちが落ち着き、S子さんは治療に前向きになり始めた。最初は野菜しか受け付けず、それ以外を口にすると、吐いていた。そこで、無理をせず、まずは重湯と豆類を少量ずつ、1日5回食べることから始めた。それも食べたくなかったら、やめてもよいという条件つきだった。また、それまでは食に関して全く興味がなかったが、段々と雑誌やテレビを見て美味しそうと思ったものがあれば、それを書き留め、後でE子さんに作ってもらったり、O氏に食事に連れ出してもらう。初めは大半を残したが、根気よく続けてもらう。それは食べ物の美味しさを思い出すためのプロセスだった。また父親のO氏に、お願いしたのは、娘さんと一緒に外に食べに行った時、彼女が食事を残したことを責めたり、残した物をもったいないと言って、目の前ですぐに平らげないようにするという2点であった。残すことで、既に萎縮しているS子さんに追い打ちをかけないのと、自分が今食べられる量を娘さんが自分の目で確認することが大切なのである。

2カ月目にはまだ太ることへの恐怖心が残っていたが、根気よくカウンセリングを続けていると、3カ月目には体重が徐々に増え始めた。35kgを超えると、コレステロール値が下がり始める。カウンセリングでもよく笑うようになり、早く体重を戻して、ファッション誌の中のかわいい服を着たいと希望を述べるようになった。45kgまで回復すると、食べ物が美味しくてたまらないと言い、高校に行く傍ら、喫茶店でウエートレスのアルバイトを始めるなど、様々な面で意欲的になった。アルバイトをしている喫茶店の場所を聞くと、「来られると恥ずかしいから、教えません」と顔を赤らめて言う。天真爛漫な女子高生に戻ったS子さんを見て、O氏の必死な父親心が今更ながらに伝わって来た。

DVの芽を摘め

Sさん（46歳主婦）は昔から子宮筋腫からくる貧血でここ8年程通院していた。通うと言っても生来健康で背丈も165cmとしっかりした体格のSさんは、そもそも医者嫌いなだけに貧血のひどい時だけ、年に1、2度チェックに見える程度だった。その度に夫とのトラブルが常に耐えないことを相談というより一方的に話し、ストレスを発散していた。

家でのトラブルはSさんが彫金やアートフラワーなどの趣味に熱中し、その行き過ぎで家事に支障を来たすことにあった。口論から時に取っ組み合いの夫婦喧嘩にもなる。真夏のある日、急に診て欲しいとSさんから連絡がある。その日は当院の夏休みだったが、医者嫌いのSさんからの電話だから、只事ではないと感じ、待っていた。すると身体中痣だらけのSさんが一人でやってきた。よく診ると、両方の上腕から前腕にかけて、両太腿部、さらには下腹部に到るまで皮下出血の紫斑がほぼ全身を覆っていた。身を守ろうとした態勢で、殴る、蹴るされた出血痕だった。誰に遣られたのか？　何度聞いてもSさんははぐらかす。

◇DVを起こしたのは高3の息子

怪我の様子を写真に取っている内、Sさんは重い口を開いた。何と暴力を振ったのは、夫かと思いきや、他でもない彼女の長男のJ君であった。彼女には長男（高3）と長女（中3）と2人子供がいる。高3のJ君は大学受験を控えていた。その彼が夏休みに予備校にも行かず、朝からファミコンをしていたのをS子さんが注意した途端に爆発した。拳骨で殴られ、足で蹴りが入る。Sさんがいくら上背があって男勝りでも身長175cm体重65kg、サッカー部で鍛えた17歳の男子にはかなわない。殺されるという恐怖感を覚えたという。

ショックで1日寝ていたが、腹痛が続き、内臓破裂が心配で来院する。幸い内臓破裂は無かった。でもJ君に対して恐怖心が残り、このまま家を出たいという。その後彼とは、コミュニケーションはほぼ無い。家庭内暴力はこれが2度目。最初は4年前で、左目を7発殴られたとのこと。この時まだ中学2年生で、驚きはしたが恐怖心までには到らなかった。が今回は明らかに違う。J君の目つきが尋常でなかったからだ。

早速夫の方に連絡し、次の日にJ君を連れてきてもらう。精神統合失調症での緊急入院の必要性もあるからだ。来院したJ君はいかにもスポーツマンといった男の子というよりしっかりした青年だった。話して見て精神的に錯乱し、突然人格が豹変するとも思えなかった。

ではなぜ殴る、蹴るという暴力を振るったのか？　聞くと、Sさんは母親として、食事を含め、家事をしっかりやらず、趣味の彫金やアートフラワーに出かけてしまう。「その上、父親と行かないと約束した日にまで行って、それを嘘で誤魔化す最低の人間なんです。そんないい加減な人間に注意され、無性に腹が立ち、殴ったんです」J君の言い分は正論である。確かにSさんは家族の迷惑を省みず、趣味中心の生活をしているのが伺える。でもそれを暴力で屈服させられるだろうか？　Sさんと夫とはよく喧嘩するが、時折夫が手を挙げるのを息子のJ君は目撃している。配偶者や付き合っている女性に暴力を振うドメスティック・バイオレンス（DV）を起こす男性は、酒飲みの普段気が弱い人に多いといわれているが、そのバックボーンとしてその父親が母親に暴力を振るうシーンを見ている場合が多い。だからJ君の場合も、将来DVを起こす可能性は充分にあった。するとその子供も同じことをする。だから、できるだけ早いうちにこのDVの芽を摘んでおく必要性がある。J君に「もし結婚してその相手が母親と同様、家事も疎にせず、習い事に走ったらどうしますか？」と聞いて見た。すると母親とは正反対な家庭的な人と結婚するという。結婚して子供ができて相手が変わったらどうするか？　突っ込んで聞くと、本当に頭に来たら相手を正すため、暴力を振うかもしれないと、やはりDVを匂わせる発言があった。どうすればいいのか？　暴力を振るって、その後の人生を棒に振った人達の例を出して、暴力がいかに無駄で、自分の地位を貶め、金銭的にも多大な損害を蒙るかを話し合った。大学病院で薬メーカーの営業マンを殴り、次期教授候補が転落して行った例、食品卸会社の2代目若社長が出入り業者を殴り、それが基で外資系メーカーから総スカンをくらい、それによって会社は倒産、本人も自殺した例、平手で2、3発、妻の両頬をはたいたことを10年後に蒸し返され多額の慰謝料と子供の親権を取られ、家のローンばかりが残り、うつになってしまった例など実際に暴力が原因で人生奈落に落ちた人達の実例をお話した。J君はたったそれだけの暴力で社会から追放され、自殺にまでおいこまれてしまうのかとびっくりしたという。そう、暴力を起こす人達は、概して相手をよくするためと正義感から暴力を振い、大したことでないと思い込んでいる。

もう一つは感情のコントロールである。いかに相手がとんでも無いことをしでかし、怒りが起こっても、すぐその人にぶつけるのではなく、怒りが行き過ぎるのを待つ。そして冷静になってから相手に注意することを自らトレーニングとしてやっていくのを勧める。J君はその後受験勉強にわき目もふらず、集中しはじめる。しかしその目つきは逆に穏やかになってきたという。半年後、J君は無事に志望大学に入学できたとご両親とともにお礼にみえた。

30歳になったからとJ君は当院の人間ドックに来てくれた。結婚されてお子さんも2人いるという。穏やかな顔つきになられ、ちょっと頭も薄くなり、いい大人に成長していた。当然DVはないという。J君の勧めで、奥さんもドックを受けられる。ストレスとしてDVの話もなく、幸せそうだったので、安心する。

人生最大のストレスは娘からの無視

Cさん（当時50歳男性）は、ストレスがかかると酷い口内炎ができる。仕事は中堅の建設会社社長。不況で仕事がなくなったと思うと、急に忙しくなったりと精神的にも身体的にも休む暇がない。特に彼の仕事は、職人の確保や建設現場での作業日程の調整、近隣住民への説明や苦情処理、銀行への融資のお願いと、社長ながら多岐に渡り、ストレスが絶えない。だから口内炎が治らず、食事の時はいつも顔を顰めていた。父や叔父達がガンで倒れ、自分もガン体質と思う。でも前向きにガンを予防したいと40歳から当院に通う。ただし景気で上下するストレスは、Cさんにダメージを与え、総合人間ドックでの結果はいつも悪かった。

家庭でも毎年違ったストレスが彼を襲う。ドック初年度、年老いた母の認知症が始まり、次の年、長年貯めたへそくりで買った外国株が大暴落。その2年後、妻が脳の難病である多発性硬化症を煩い、長期入院。妻を連れ有名な専門医を何人も回り、ベストの治療法を模索。その甲斐あって、妻は多少麻痺が残ったが半年後には台所に立てるようになり、ほっとする。

◇人生最大のストレスが襲う

その次の年、人生最大のストレスが訪れる。それは3人の娘さん達の中で、中学生になった次女のE子さんからの無視だった。何を聞いても話しても、不機嫌そうに「別に」しか言わない。3姉妹の中でも、彼女を特に可愛がっていたCさんにとっては、これまでの数多くのストレス中、一番ダメージが大きく、きつかった。きっかけはE子さんが通う中学校のバスケットボール部の試合にあった。年頃の娘さんによくありがちな父親を友達や先生に見られるのが恥ずかしくて、E子さんは試合に来ないよう何度も念押しした。でも娘の活躍する姿を一目見たくて、Cさんは日曜日早起きし、出かけた。以来E子さんは口を聞かなくなる。

E子さんは長女や三女に比べ活発で、中学入学時から、髪の毛を軽く染め、友達とよく出かけた。その度に彼女はCさんに、お金をねだり、携帯電話が欲しいと懇願した。でも、Cさんは中学生にはまだ早いと買わなかった。それもE子さんの態度を硬化させ、何度も大声で言い争いになった。「〝娘との接し方〟の本はどれも奇麗ごとで、全く役に立ちません」と苦笑いするCさん。次女に比較し、長女は真面目で大人しい。長女と次女を足して2で割れたらどんなによかったかと思う。「年頃の娘の扱いは大変と覚悟してたけれど、実際自分の娘への対応は全くだめです」とCさんはこぼす。何千、何万人と扱っている社長さんでも、自分の娘はコントロールできないとぼやく人は多い。

◇娘さんの顔をまず真正面から見て

娘さんとの言い合いで怒鳴れば、Cさん自身の動脈硬化が進む。一喝一老である。会社よりも、娘さん達には特に怒鳴らないようお願いした。また何かおねだりの時しか、父親に話し掛けてこなくても、その時はチャンスと思い、娘さんの顔を真正面から見て、視線を合わせ、最後まで真剣に聞く。顔も見ず、頭からダメといわない。話を聞いて、必要性があるとCさんが納得すれば買うし、そう思わない時は買わない。納得しない時は、その理由を柔らかい口調で娘さんが理解するまで伝える。そういう話し合いを娘さんのおねだりの度にしてもらう。それが功を奏したのか、次の年次女も落ち着き、完全無視は無くなる。でもまだ「別に」は続いていた。高校受験に絶対必要というので、携帯電話より低機能のピッチを買い与えた。無事に近所の公立高校に入学。と同時に顔黒、茶髪といったコギャルに変身。夜も休日も外出が多くなる。心配だったが逆効果と思い、小言を言わないようにした。「別に」も高校2年生になるとなくなり、Cさんとちゃんと話すようになった。だから、E子さんがどんな格好をしても、帰宅が遅くても、あまり気にならなくなる。お互いに話し合う習慣のおかげで、E子さんを信頼できるようになったからだ。だから高校2年生のクリスマスにはヴィトンの財布を買ってくれとせがまれ、それくらいならとオーケーしたら、6万円もして驚く。「親ばかなんですね、買ってしまいましたよ」とCさん。10年前は娘3人がお揃いの洋服を着て、とても可愛らしかったと言う度に、もう聞き飽きたと娘や妻に嫌がられた。でもこれが父親の本音である。

◇家庭でのありふれた営みに幸せを感じる

最近、デパートで買った稲庭うどんを家で食べたら、感動するほど美味しかった。今まで見向きもしなかった素朴なものに美味しいものが、たくさんあることに気づく。前は高価なものにしか目が行かず、廉価なものを馬鹿にしていた。だが、歳を重ねて来たら、若い時より感覚が鋭くなってきた。予防医学的に食事や運動に気をつけていることもその要因だが、より大きい要因は、E子さんとの関係が改善しストレスが軽減したことである。仕事のストレスは相変わらずだが、無視されていた頃に比べると、Cさんの顔色は断然良い。しかも家族と過ごす時間も増え、自然とお酒も飲まなくなる。一度脳梗塞を患うと、いくら良い病院にかかっても、麻痺した手足は元に戻らない。誰もがわかってはいるが、殆どの人が自分には起こらないと思っている。その点Cさんは年1回のドックと3カ月毎の再検査での指導を自分の生活にうまく取り入れた。だから10年前に比較すると、動脈硬化や多少のアルコールでも悪化した肝機能が改善している。でも何より良かったのは、Cさんにとって、外食より家族と一緒にいることで、人生における幸福を味わえるようになってきたことである。

ニートの息子を持つ親の気持ち

Iさん（63歳主婦）は、身長140cm体重35kg、小柄な御婦人である。結婚25年、夫と姑に尽くし、二人の子供を育て上げる。一流企業役員を引退した夫と悠々自適の第2の人生を楽しんでいる。はずであった。だが、44歳になる息子が無職で、家でぶらぶらしていた。それがIさんの悩みの種だった。彼は大学卒業後、資格を取る為、司法書士の事務所に入る。10年経っても試験に受からず、働きながらでは無理と事務所を辞める。以来一日中家に引き籠り、さらに12年未だ試験に通らない。「大人だから自分で何とかしますよ」と夫はどこ吹く風である。息子は昼夜逆転、夕方4時頃起き出す。でも部屋には参考書よりコンビニ弁当やカップ麺の残骸、漫画、雑誌が転がる。プロ野球中継の時期は夜7時から息子はリビングのテレビの前から離れない。2階の自室に戻るのは10時過ぎである。ある時、テレビでニート（就業、就学、職業訓練の何れもしていない人）やフリーターの報道があり、初めて息子がニートなのに気づく。スマートで若々しかった息子も、いつの間にか下腹が出て髪の毛も薄くなり、体型だけは一人前の中年となっていた。

◇自分のせいで息子がニートに

Iさんは息子がニートなのは自分のせいと思い込んでいる。なぜなら、Iさんは後妻だった。先妻はガンで亡くなり、数年後お見合いでIさんが嫁ぐ。2人子供がいるのは承知の上だった。上の息子は大学1年生、下の娘は中学3年生だった。自分の子供も作らず一生懸命2人の子供の世話を焼き、明治生まれの厳しい姑に仕え苦労した。そのため50歳時にIさんは過労で胃潰瘍から胃癌になり、胃を3分の2切る。58歳の時立ちくらみや眩暈が酷く、良家に嫁いだ娘が心配し、当院に連れてこられた。Iさんは巨赤芽球性貧血だった。これは胃を手術した人がビタミンB_{12}の吸収ができず、だるさが続くだけでなく、放っておくと痴呆症にもなる怖い病気である。姑に始終いびられたお陰で、Iさんは胃を切る前から食欲が無く、ビタミンB_{12}の多い魚や肉は殆ど食べられなかった。姑も亡くなり8年経つが、未だに食欲が無い。数種類の投薬で、段々Iさんは調子を取り戻し、ふらつきや眩暈がなくなる。以来3カ月に一度は人間ドックも含め、予防的治療のため通院する。

昔から息子にして欲しいことを尋ねても「何も無い」と言われるだけだった。でも本当の母親なら彼の内面を理解し、普通に働いて家庭を持てるように導き、ニートにはしなかっただろうとIさんは自分を責めた。「彼が働かないのは元々の性格からです」と夫がまるで他人事なのも信じられなかった。自分の大切な息子なのにと思うと余計何かしなきゃと焦る。7年前の60歳から、息子にお金がもらえる終身保険に息子名義で入る。もちろん支払いはIさんだった。だが半年前に夫が完全退職してからは収入が減り、毎月の支払いが難しくなる。元々親掛りで息子に保険を掛けるのは、夫は反対だった。だから内緒で加入したのでお金が足りなくても相談できなかった。来院の度に相談されたが、専業主婦のIさんにはお金の目途は立たない。でも彼女が原因で息子はニートになったと自分を責め、私達が死んでも息子が困らないようにと、保険を中途解約できなかった。Iさんは自らを責めることが強く、再検査の度に自己肯定していけるカウンセリングを行う。原因は亡くなった姑がIさんに異常に厳しかったことにあった。姑は食事が5分遅れてもIさんを叱責し、娘と2人台所で仲良く話しても嫌な顔をした。気に入らないと、姑は座敷のテーブルを物差しで思いっきり叩く。その音は台所まで鳴り響き、Iさんは姑の元に飛んでいった。だが、姑は夫や息子の前ではそんな素振りなど微塵もみせず、彼らの前では終始にこやかだった。だからいくら夫に訴えても信じて貰えず、余計にIさんのストレス度はあがった。ただ普段から悪い悪いと言われ続けると、自分が悪い人間に思えてくる。息子が試験勉強に前向きに取り組まず、試験に受からないのもIさんのせいと姑から言われ続け、いつしか彼女自身そう思い込むようになる。

◇夫の入院で息子が活躍

息子はうつ病ではない。時折心配で声をかけると「僕のことは心配ないよ」とむしろIさんが慰められる。「先生、私達のために、安い値段の養老院を作ってください」とIさんは真剣な眼差しでいう。なぜなら今の住まいを売り、そのお金を息子に残したいので、住む所がなくなるからだという。当院で話すと凄く楽になる。でもすぐ息子の将来が心配になってくる。何度も当院で話し合い、毎月8万円の保険をようやく解約する。息子がニートになったのは誰のせいでもないことに気づくのに7年掛かった。でも殆ど戻らないと思っていた保険金も幸い8割以上戻る。

そんな折、急に夫が腹痛発作で救急車で病院に担ぎ込まれる。胆石症だった。その時ひどい糖尿病が発覚し、長期入院となる。その間息子が足繁く病院に通い、何かと夫の世話を焼いた。また夫は退院してからも通院が必要になる。その度に息子は嫌な顔一つせず、豆に車を出し、送り迎えを続けてくれた。そんな息子を見ていて、Iさんは初めて彼がニートでもいいかなと思えたという。職はなくても、親を思いやる優しい気持ちが人並み以上にある。そのことがわかり、ほっとしたのだった。何の根拠もないが、人を思いやる気持ちさえあれば、Iさん達が死んだ後も、息子は何とか一人で生きて行けるのではないかと安心できるようになったという。

アル中でも親は親

Mさんは43歳の美容販売員。仕事に燃える独身キャリア・ウーマン。会社からの期待も大きく、化粧品の開発にも貢献している。そんなMさんだったが、一つだけ悩みがあった。それは5歳離れた弟がアルコール中毒に侵されていたことである。しかも単なるアルコール中毒ではない。家庭内暴力も頻繁に起こすため、既に7年前に弟の妻は2人の子供を残し、出て行く。しばらく経っても何の反省もなく、酒を飲み続ける弟に三行半を突きつけ、そのまま離婚となる。子供の面倒を見て育てたのは、MさんとMさんの年老いた母親、つまり子供達にとっては祖母であった。弟の家庭内暴力の矛先はもろに母親つまり祖母に向かった。祖母を庇えば、子供達も殴られた。しかしアルコール中毒であったために、それほど体力は無く、何とか子供2人と祖母と弟の4人で暮らしていた。

Mさんは田舎を離れて東京で一人暮らしだったが、弟の暴力がひどい時には、田舎から姪、甥と母親を何度も東京に呼んで匿った。だが必ず3日後には、アルコール中毒の弟が迎えに来た。弟は精神的にも一人でいるのが不安で仕方が無いのと、母親の僅かばかりの年金を狙い、酒代にしていたのだった。警察を呼んでも、警察官の前では借りてきた猫のように大人しくなり、病院に入院させても、その時は憎たらしいほど模範患者を演じ、すぐに帰宅する。そして性懲りもなく、またアルコールに溺れるのであった。

◇急死した弟の子供達を支え続ける

Mさんの生活も逼迫していた。いくら優秀なキャリア・ウーマンでも給料はたかがしれている。甥、姪、母親に仕送りすると、生活するのが精一杯だった。弟は暴れては血を吐き、入退院の繰り返し。家族の誰もが弟が早く亡くなればいいと思っていた。

ある日、弟が自分の部屋で吐血、母親がびっくりして救急車を呼んだが、今度ばかりは間に合わなかった。食道静脈瘤破裂、出血多量のため、弟さんは呆気なく、病院で息を引き取る。葬式直後より、弟の別れた妻が来て、子供2人を引き取りたいと申し出があった。

ところが自分達を置いて逃げて行った母親の元に、いまさら行きたくないという子供達の要望が強く、祖母との3人暮らしとなった。そのためMさんは相変わらず、仕送りしなければならなかった。でも子供達の気持ちも痛いほどわかったため、自分自身を鼓舞し、仕送りをより多く送るようにした。

◇父親への悪口で引きこもる子供達

子供が反抗期になり、よく祖母に口答えしたり、電話でのやり取りで、Mさんの言うことを聞かないことが多くなった。アル中でどうしようもなかった弟のようになって欲しくない。そのため「そんな風に言うこと聞かないと、お父さんみたいにお酒に溺れて暴力振るう人になっちゃうよ！」と言ってしまったこともあった。そんな時、よけい子供達は祖母や叔母であるMさんを無視し、何日も部屋に閉じこもる。

当院の勧めもあり、Mさんは1週間ほど休みを取り、田舎で子供達とゆっくり話をする機会を設けた。その時びっくりしたのは、子供達の中で、アル中で家庭内暴力を起こす父親に対しての軽蔑や憎しみなどが、一切消えていたことだ。むしろアル中になる前に遊園地や動物園に連れて行ってくれた優しい父親のことばかり話す2人だった。その時、Mさんは気づく。どんなひどい父親でも子供達には、その血が半分は流れている。その父親の悪口を言われると、自分達まで否定されて、悲しい気持ちになるということだった。

それ以来Mさんは、母親とも相談し、弟さんの悪口を子供達の前では決して言わなくなった。と同時に機会がある毎に、優しかった頃の弟さんの思い出を母親と一緒に子供達に伝えるようにした。すると暫く経ってから、子供達は今までのように引きこもらず、何でもMさんや祖母に話すようになったという。

両親の悪口を子供本人が言っていたとしても、それを他人から言われるのは嫌なものである。特に子供に対しては親の悪口は禁物。夫が妻の、妻が夫の悪口を何気なく子供にいうことが日常的によくある。でもそれは、子供にとっては自分で直せない分、自分自身について直接言われた時よりも辛く響く。つまり親への悪口は子供達の心を思った以上に傷つけていると思った方がよい。

Mさんの甥、姪つまり亡くなった弟の子供達はその後すくすくと成長し、一人は、弟つまり父親と同じ美容師になり、バリバリ働いているという。ようやく親代わりの役目を果たし終えたMさんは肩の荷を降ろし、ほっとする。彼女も好きな仕事に今まで以上に集中し、より頑張るようになったというから大したものである。

「病」降って、家庭固まる

入院中のOさん（47歳）から電話があった。脳梗塞で一時は下半身不随にまで陥ったのに声が明るい。「先生、何とか来週には退院できそうです。手の痺れが少し残っただけで、外から見る限りほぼ問題無しです」「奥さんは看病してくれたの？」私がこんな質問をするのには理由があった。「一時下半身付随になり、2日間男泣きしました。その時、誰よりも励ましてくれたのが意外にも妻だったのです。入院中娘を通して誕生日祝いを送ったら、妻も『こんなこと10年ぶり』と感激してくれました」Oさんは宇宙衛星開発の仕事に携わり、夜昼なく働くタイプだった。子供に手がかかる頃も休日はほぼ家にいなかった。そのためか、ここ最近5年間妻がOさんを完全無視するようになる。帰宅すると、食卓に夕食の用意はしてあるが、入れ替わりに妻は出かける。近所の奥さん連中とカラオケに出てしまうのだった。Oさんが話しかけても、妻は全く答えない。ましてや向こうから声をかけてくることはない。何か大切なことを妻の方から聞いてくる時には、子供達を通してやり取りした。そんな状態だから、高校、大学生の子供達から離婚を勧められたほどである。

◇家庭内ストレスが脳梗塞の原因

Oさんは、やせ型でコレステロールも中性脂肪も正常値。脳梗塞になった原因がわからなかった。総合人間ドックの結果では、頸動脈の超音波検査で約25％以上の狭窄があった。これは50歳後半のデータであり、動脈硬化が10年以上早く起こっていた。仕事でストレスがかかり、それを癒す家庭でもストレスがあれば、当然動脈硬化は進行する。20、30歳代と仕事にかまけ、40歳代後半でようやく家庭を振り返る余裕が出た頃には、離婚や家庭内別居に陥っている、そんなビジネスマンが多い。幸いOさんは当院で予防医学的節制をしていたため、一過性の脳梗塞のみで済んだ。逆に家庭での夫婦関係の修復に到り、万々歳。なぜ妻から無視されていたのか？　それは小言を言われるのが嫌で、むしろ自分から会話を避けていたのがきっかけだった。だがもし病状が深刻で半身不随や寝たきりだったら、夫婦関係の修復もなく、家族から見放されていただろう。普段からの家庭内コミュニケーションを良くするにはどんなに疲れて面倒くさくても、妻や家族の話をよく聞くことである。余計な意見は言わなくていい。たった30分相手の話を聞くだけで、家庭内ストレスは低くなる。Oさんも病気をきっかけに妻や家族とよく話すようになり、今では家族と過ごす時間が楽しみになる。

癌末期での父への伝言

D氏（当時45歳男性）は猛烈に働いてきた。大学卒業後昼夜無く、がむしゃらに会社のためにやってきた。会社は父親が創業し、やはり父親も人の何倍も働き、普通の人から見れば十二分以上に会社を大きくした。父親は既に会長になっており、次はD氏が社長になり、益々会社を発展させていく番だった。だがD氏は自分が本当に遣りたいことを事業化するとあっさり会社を辞めた。誰もが反対したが、あまりに強い決意で誰にも止められなかった。

新会社を興すための準備期間に入って、直ぐ身体の違和感に気づく。左胸の下側に妙な息苦しさを覚えた。D氏は嫌がったが、妻のM子さんが当院に無理やり引っ張ってきた。精密検査の結果、肺がんだった。しかも胸水の貯まった進行がんで、すぐさま国立がんセンターに行ってもらう。そこで日本で1、2を誇る肺がんの権威A外科医に診て貰う。私の大学時代の友人で、親身になって診てもらった。しかし残念ながら手術不能ということで、同じがんセンターの呼吸器内科での治療を勧められる。そこで、当時日本で最新の抗がん剤治療を受けたが、肺がんは消えなかった。余命3カ月。抗がん剤投与後、肺がんの残ったCTの写真を前に、がんセンターの内科医に宣告された。現代医学では手が無かった。

◇余命3カ月から1年以上元気で暮らす

そこからD氏、妻のM子さんの〝がん〟との壮絶な戦いが始まった。食事療法、気功、漢方薬、ありとあらゆる手を尽くした。私の方もまだ日本では未認可の抗がん剤やホルモン剤を米国から取り寄せる。さらには医師しか持って来られない抗がん剤の注射薬を欧州に取りにも行った。それらの成果か、3カ月の余命だったD氏は、その後1年経っても元気であった。ただ安心はしておらず、新事業の準備も無理せず進めていた。そのかたわら、生きていることを実感するためか、都内からそれほど遠くない岬の突端に見晴らしが絶景の大別荘を買う。そしてその大改造に自分を忙しくさせていた。ところが1年と9カ月経った頃から、D氏は息苦しさを頻繁に訴えるようになる。その頃から、完成した岬の別荘でよく週末を過ごした。或る寒い朝、別荘のM子さんから電話が入る。D氏が寒い中釣りにばかり行っていたせいか、ここ3、4日具合が悪く、体中が痛くて起き上がれないという。その日は土曜日で夕方診療が終わってすぐ岬の別荘まで往診に行く。痛み止めや各種栄養剤を入れた点滴を打ち、小康を保つ。深夜にまで及んだため、そこで泊まらせてもらい早朝帰る事にした。

次の日、D氏は凄く体調が良くなったと起きてきた。顔色もよく、晴れ晴れとした笑顔で、D氏が別荘に集めた調度品の数々を見せてもらう。さらにその由来まで、細かく説明してくれた。本当に調子がよかったのだ。その後「先生、クリニックまで車で送りますよ」と有り難い申し出があった。昨夜の苦しみはどこに行ってしまったのかと思うくらい、打って変わって元気な様子に戸惑いを覚えた。でも何かあれば診られるからと、D氏の申し出を受けた。

◇D氏から託された父親への遺言

帰りの車中、普段無口なD氏が珍しく良く喋った。中でも彼の小さい頃、父親が忙しくて殆ど家にいなかったこと、たまに帰って来ると一緒に釣りに出掛け、いろいろ教えてもらったのが、すごく嬉しかったというのが心に残った。だから冬の寒い中、体調が悪くなって妻に怒られても、釣りに行くのだった。それから2カ月後、D氏はほぼ寝たきりになる。

栄養をつけるための点滴にD氏の東京の自宅に夜往診した時だった。彼の父親も来ていた。いつもは何千人という社員を顎で動かす、ど迫力のあるその父親も、息苦しさでうつ伏せになったままの息子に対し、成す術も無く背中を擦るのが精一杯だった。点滴が終わりD氏も落ち着いたので帰ろうとしたところ、彼の父親がクリニックまで送ってくれるという。そこで一緒に車に乗り込む。D氏の父親も無口であった。恐らくD氏は釣りの好きな訳を父親に明かしていないのであろう。勇気を持って話し掛けた。

「Dさん、ご子息がなぜ病気でも釣りに行くのかを、2カ月前別荘でお聞きしました」恐る恐る切り出した。父親の視線が、車の前方からこちらの方に一瞬向く。「息子さんは小さい頃、たまの休みにお父さんに釣りに連れて行ってもらったのがとても嬉しかったそうです」だから身体が弱っていても、彼には釣りをしている時が至福の時であったこと、それは父親との楽しい、懐かしい思い出があふれてくるからなどと夢中で話した。あっという間にクリニックだった。D氏の父親の表情は、暗い車の中でとうとう見えなかった。でも、何かが確実にD氏の〝お父さん〟に伝わったのを感じた。お礼を言って車を降りたが、D氏の父親は何も言わなかった。せめてD氏が生きている間に伝えることができて、ほっとした。

これは、私自身がD氏から託された使命と感じたからだ。そうでなければ、あの時急にD氏の様態が素晴らしく良くなる訳が無い。D氏の潜在意識がお父さんへの思いを、私を通して伝えさせようと働きかけたのだった。それから2週間後D氏は息を引き取る。最後は苦しいからと自ら病院に入院し、2日目であっけなく最後を迎える。

彼が亡くなった明け方、病院からクリニックまで2時間歩く。この2年間を振り返っていた。その時、47歳の志半ばで亡くなった、釣りと〝お父さん〟のことが大好きだったD氏のことをいつか書こうと誓った。それが、3回忌を迎えた今日実現する。

新説アリとキリギリス（キリギリス的生き方も悪くない）

昔々或る森に、勤勉なアリさん達と怠惰で遊び好きのキリギリスさんがいました。勤勉なアリさん達は、もう春から寒い冬への準備のために、自分達のお家にせっせと食べ物を運び込み、一生懸命働いていました。一方怠け者のキリギリスさんは、毎日好きなチェロを弾いて遊び廻っていました。それでも春夏の森は食物も豊富で、全く食べ物に困らなかったのです。暑い夏もアリさん達は沢山汗をかきながら働き続け、キリギリスさんは木陰でのんびり過ごしていました。秋風が吹き始めると、さすがに見兼ねたアリさんは、いつもノー天気で遊んでいるキリギリスさんに「そんなに遊んでばかりいると、寒い冬になって大変な目に遭うよ。今からでも遅くないから、食べ物を集めておいた方がいい」と忠告したのでした。ところが、キリギリスさんは得意なチェロを弾きながら「アリさん、ご忠告ありがとう。でも、僕は今こうやっているのが最高に楽しいんだ。将来の冬のことなんか今は考えられないよ」とせっかくのアリさんの忠告を無視してしまったのでした。

そして木枯らしの吹く寒い冬がやってきました。食べ物は全くなくなり、あれだけ遊んでばかりいたキリギリスさんはまる3日何も食べておらず、森の中をさまよっていました。そこにふと顔をあげると、木の幹にあるアリさんのお家が目の前に見えました。お家の窓からは暖炉の光が漏れ、美味しそうなスープの匂いがしてきます。「アリさん達の忠告を素直に聞いておけば、こんなひもじい思いはしなくて済んだのに。お願いして食べ物を分けてもらおう」とアリさんのお家の扉を恐る恐るノックしたのでした。返事は全く無く「やっぱり忠告を無視した僕のことを怒っているんだ。でもこのままだと死んでしまうから、何とか恵んでもらおう」でも、それから何度扉を叩いても返事はありません。

とうとうキリギリスさんは無い力を振り絞り、ドアを無理矢理引っ張ってみました。するとどうでしょう。アリさんの家の扉はすんなり開き、キリギリスさんはアリさんのお家に入れたのでした。ところが肝腎の家主のアリさん達が見当たりません。よく見ると、奥の方の部屋でみんな倒れています。どうもアリさん達はずっと働きづめによる過労で、免疫力が弱り、悪い風邪でみんな死んでしまったのでした。逆にキリギリスさんは、好き勝手やったおかげで、ストレスも無く、アリさん達が罹った悪い風邪にも罹らずに済んだのでした。そして、アリさん達が一生懸命蓄えた食糧と家で、のんびりと厳しい冬を越せましたとさ。

さてあなたはアリさんタイプですか？　それともキリギリスさんタイプですか？

5章

あなたとわたしの働き方改革

エリートは早く死ぬ⁉

Ｋ大学医学部出身の私は自分で言うのもおこがましいが、中学、高校までいわゆる勉強の出来た方である。でも大学に入って驚いた。世の中には上には上がいて、本当のエリートというのを目の当たりにした。ただ勉強だけではない、運動神経も人当たりも良い、そして人望もある。人より秀でたものが１つあれば充分なのに、３つも４つも揃っている人間が本当のエリートであることを思い知った。しかし卒後15年の40歳の時に振り返ってみると、医学部同級生１００人のうち、統合失調症及び神経症が４人（これは通常の３倍以上）、アルコール依存症が１人、脳動脈瘤破裂による突然死が１人、その上10万人に１人起こる白血病が２人も発生していた。一時我々の学年は呪われた学年と呼ばれていた。40歳での病気の罹患率、死亡率共に異常に高かったからである。確かに他学年の医師達はそれほど高くはないが、１００人中１、２名は早死にしており、一般と比べると明らかに多い。

◇回りの期待に応えるエリート、普段から無理な生活習慣に

我々の学年の白血病の１人Ｆ君は31歳で他界、もう１人のＡ君は発病して20年以上経つので、何とか白血病を克服したといえる。そのＡ君が白血病に罹って３、４年経った頃、なぜ白血病に罹ったのか、医者として客観的に分析してもらった。医師になってから白血病になるまで、ほとんど休みという休みが、Ａ君にはなかった。平日早朝から深夜まで大学病院での多忙な診療と研究、休日には日勤、夜勤当直。ファーストフード主体の食事で食事時間も削り、食べながら次の仕事に取りかかる毎日だった。医者が三ツ星レストランで贅沢なフルコースを優雅に取る、そんなことは滅多にない。ただの労働者である。また頭は忙しいが、身体はそれほど動かしていないため、頭が冴えて眠れない。少しでも眠るため、夜遅くの寝酒に頼り、病気する直前は、ワインをボトル半分以上飲まないと寝付けなかったという。Ａ君は学生時代、それほどお酒が飲めるタイプではなかった。

学会発表前は、準備に追われての睡眠不足が何日も続き、時には徹夜になる。なぜなら日常の診療は待った無しだから、睡眠時間を削るしかない。そんな心身ともに多忙な日常生活が原因ではないかと教えてくれた。Ａ君は学生時代から英語、ドイツ語と３カ国語ぺらぺらの秀才、さらには温厚な人柄で、誰からも好かれていた。多くの医者達が嫌がる雑用も難なくこなすため、学会でも一目置かれ、将来の教授候補の超エリートであった。

◇寸暇を惜しんで、テニスに打ち込む真面目な好青年

もう一人の白血病になったF君もとても真面目なエリートだった。有名私立中学、高校を優秀な成績で卒業し、現役入学して来た。テニスが大好きで毎日の練習以外でも授業の合間のわずかな休み時間にも壁打ちをしていた。それだけテニスに打ち込んでいたにも関わらず、勉強もよくできた。大抵の医学部生は数えきれないくらいのテストの中で、いくつも試験を落とし追試を受けるが、彼を追試会場で見かけたのは1度しか無い。私は当時から勉強嫌いで、常に追試の常連だった。だからたまにしか追試を受けない同級生のことはよく覚えている。テニスの合間、教室でバナナとサンドイッチをよく食べていた。大学5年生（医学部は6年生まである）の時、テニス部のキャプテンとして活躍する。でも自ら人の前にしゃしゃり出るタイプではなく、本当の実力と人の面倒見の良さからキャプテンに選ばれた。そんな彼が白血病であることがわかったのが、医者になる直前の健康診断であった。血液検査で異常な細胞があるのがわかり、精密検査し発覚した。元々外科医を目指していたが、病気治療のため、急遽内科に進路を変える。

当時、白血病の治療で世界的に最も有名な米国のシアトルで、骨髄移植を行い、一時的に良くなったが、感染症がもとで31歳で亡くなる。もし彼が白血病でなかったら、今頃超一流の外科医となり、ばりばり手術をし、多くの患者さんを救っていただろう。同級生の

殆どがそう思っていたから、彼の骨髄移植の手術のために、多くのカンパが寄せられた。

◇エリートという呪縛からの解放

病気及び死亡した同級生の共通点は、仕事は真面目、友達も多い、親切で良い人であり、成績も上位のエリートである点である。ただし決まって自分の悩みは、例え親友でも明かさない。だから回りからは完璧な人と思われ、羨ましがられる存在だった。でも裏を返せば、自分がエリートで完璧であるが故に、熱くなって喧嘩するほどの深いつきあいやコミュニケーションもなく、表面上の付き合いしか無い。そして回りからの期待や業績のために無理して心も身体も酷使する。優秀なエリートほど、回りの要望や期待に答える前に、自分自身が人生で本当にやりたいことを明確化し、自分の悩みを積極的に人に打ち明けることが必要である。その時点でエリートという呪縛から解放される。なぜなら、悩みは皆無で、人生全てがうまく行っているように見せているのがエリートだからである。

白血病のA君も発病後20年以上経っているが元気である。白血病になってから、生き方をがらっと変えた。当然医師は続けているが、前のような無理はもうしない。定期的な完全休養をしっかりとりながら、ちょっとの身体異変でも年下の専門医に患者として相談しているという。回りの期待やプライドより長生きを人生の目標に変えたのである。

うつ病は伝染《うつ》る⁉

「先生、また1人出ました」そう言ってY氏（37歳男性）は、笑顔で診療室に入る。

Y氏はIT関連の一流企業で、日々忙しい働き盛りの課長職。1年前から胸の動悸、冷や汗、胸苦しさを職場だけでなく、家でも訴え、その度に何度も救急車を呼ぶ。ところが搬送先の救急病院では、検査上どこにも異常は無かった。逆に何も見つからなくて、よけいY氏は不安になる。そこで会社の産業医に相談したところ、当院を紹介された。会社の補助はなかったが、会社から提供されたお決まりの検診より、一度徹底的に全身状態を違った目で見直したいと、自らの意志で当院の予防医学人間ドックを受診された。確かに心臓の血管異常や心不全、不整脈など全く見つからなかった。ただしストレス度を調べる調査表および問診の結果から、反応性うつ病と不安神経症の混合状態が認められた。反応性うつ病とは、仕事や人間関係が原因となり、それがストレスになることで発症する、比較的はっきりしている「うつ病」である。それに対し、原因のはっきりしない「うつ病」を内因性うつ病と呼ぶ。

◇複雑にいろいろな原因が絡み合う反応性うつ病

反応性うつ病の場合、本来そのストレスとなる原因を取り除けば治るはずである。ところがその原因が複雑で厄介なものが多い。例えば、職場の人間関係や仕事量がストレスになり「うつ」が起こっているならば、仕事を即刻やめれば「うつ」は治ると誰もが思う。確かにきっぱり仕事を辞めれば、そこから来るストレスはなくなる。しかし今度は、別のストレスつまり経済面でのストレスが襲ってくる。例え運良く再就職できても、病気があれば無理できず、収入は前の職場に比べ激減する。収入が減れば妻や家族からの重圧がかかり、もっとひどい「うつ状態」に陥る。それが長く続けば、「うつ病」となるので放ってはいけない。

そういう例を度々診て来た。だから職場でのストレスが原因とわかっても、迂闊に職場を辞めることは決して勧めない。それより、仕事や職場においてのどの部分がストレスになり、「うつ状態」の原因になるのかを細かく観ていくことが大切である。つまりストレスの原因を細かく、そして深く掘り下げていく作業が必要になる。ストレスの根っこがわかれば、周りの協力も得やすいし、改善しやすい。そうなれば仕事そのものをやめずに済む。ただ残念ながら仕事が原因で「うつ状態」に陥る人は多いが、仕事のどの部分がストレスなのかを明確に把握している人は少ない。

◇客観的カウンセリングの必要性

「うつ病」になる人達は、冷静に客観的に自分自身を見つめることができにくい。だからストレスの原因が絞れず、仕事全てが嫌になり、仕事そのものを放り出してしまう傾向が強い。逆に同じ部署で、同じ仕事をしていても「うつ病」に掛からず、元気に仕事をこなしている人達もいる。そういう人達は、自分の中で何がストレスになるかがしっかり把握でき、うまく対処できている。だから、「うつ状態」に関しては、まずカウンセリングが第一選択である。ただしカウンセリングは、自分の中で何がストレスになるのかを細かく掘り起こし、はっきりストレスの原因を絞れるように指導してくれるものでなければならない。そこでストレスの原因が細かく分析できれば「うつ状態」は改善しやすい。

Y氏の職場の産業医の先生はとても優秀で、当然カウンセリングもできる。しかし、医師として、どんなにY氏をよくしようと思っても、いざとなれば会社の味方となる産業医の弱点をよく知っていた。だから産業医である自分がカウンセリングを行うより、客観的にY氏を診ることの出来る、当院でのフォローアップを彼に勧めてくれた。

◇自分だけが除け者で虐められている

確かに自分の上司だけでなく、社長や役員と懇意にしている産業医に、会社の悪口は言えなかったと真面目なY氏は言う。最初は仕事全般がストレスで仕事を辞めたいと言っていたY氏が、当院で何回かカウンセリングを受けている内に、ストレスの原因が自分の直属の上司である部長とその上の役員にあることに気づく。特にY氏が勤める会社は、日本でも有数の国立大学卒だけを採用することで有名であった。Y氏は、某有名私立大学卒で入社そのものが珍しかった。それも彼にとってはコンプレックスだった。上司と上の役員は同じ有名国立大学出身であり、そのため自分だけがその部署で除け者にされ、厳しく扱われていると思い込んでいた。

その誤解を解くため、Y氏の了解を得て、その上司である部長に来て頂く。その部長は確かに優秀そうだが、陰険な感じは全くなく、とても爽やかな感じの方であった。その上司に、Y氏が自分だけが社内で厳しく扱われていると思っている、それは学歴によるものか、それともY氏が仕事ができないせいなのかを率直に聞いてみた。

「いや、Y君はすごく仕事が出来ますし、よく気を使ってくれて私としても助かっています。学歴のことですが、確かにうちの会社は昔から上の方針で、国立大学出身の方が出世しやすかったのですが、最近は実力主義になってきています。だからこそ、Y君もまだ37歳という若さで課長という役職に抜擢されたのですから、学歴は今は問題になりません」とはっきり言ってくれた。

そのことをY氏に伝えると最初は、そんなことはない、自分だけが厳しくされていると言い張った。そこで上司、役員の他の人への対応を、職場で客観的によく見るだけでなく、他の社員にも聞いてみることを勧める。またY氏だけでなく、国立大学出身の社員で同じように「うつ病」になる人が必ず出てくると、予言しておいた。だからこそ、当院に来られた時にY氏が笑って席についたのだった。つまりその部署全体がストレスの高い職場で、自分だけが苦しいのではないという現実に、Y氏はやっと気づいたのだった。

◇「うつ病」が伝染《うつ》りやすい職場環境

問題は、「うつ病」の人が多く出る職場環境である。反応性うつ病の場合、まるでウイルスが原因でインフルエンザが流行るように、職場で次から次へと伝染することが多い。それには2つの理由が考えられる。1つは、仕事量が多すぎる場合である。その場合に1人が「うつ病」になり、長期で休むとする。すると、そのしわ寄せが他の人にかかり、そこで前の人と同じ病気になれば休めるという潜在意識が働き、第2、第3の「うつ病」患者が出てしまう場合である。特に雑誌や本の編集部やコンピューターのソフトを開発している部署で、絶対に締切を守る必要にある環境だったり、先の読みにくい仕事だったりすると、反応性うつ病は伝染《うつ》りやすい。また、急な仕事が降って湧いてくる職場環境も同様である。例えば、病院でいえば、慢性的な疾患で定期的に患者さんが来て、いつも目一杯忙しい外来を診ている科より、普段時間があっても、緊急で急に具合の悪い人が飛び込んでくるような救急科の方が、反応性うつ病が出やすい。

2つ目は、一方的に命令するだけで、全く人の話を聞かない上司、または少しは聞くが、すぐ怒鳴りつけて、部下をコントロールしようとする上司がいると、直接関わる部下が「うつ状態」に罹りやすい。特に、そういう上司が上に行くほど「うつ病」が蔓延し、多発しやすい。

Y氏の職場の部長は、このタイプではなかった。でもその上の役員は、怒りで部下をコントロールする、典型的な「うつ病」メーカーだった。部長に、この話を私の方から直接して、Y氏の職場転換をしてもらう。その後、彼の調子はどんどんよくなっていった。しかしY氏がかなり回復してきた頃に、あの爽やか部長が「うつ病」に陥ってしまう。Y氏の言っていた、新たな〝もう1人〟になってしまったのは笑えない話である。

あるエリート官僚の死

「急ですが、先生に是非診て頂きたいのです」某省のエリート官僚であるSさん（34歳）から唐突に電話があった。普段忙しくてなかなか再検査も受けられないSさんの来院ということで、よほどの症状だろうと覚悟した。だが実際に診ると顔色はそれほど悪くない。「先生、前にドックで診てもらった時に出来ていた胃潰瘍がまたできたみたいなんです」腹部症状はあまりはっきりしなかったが、確かに半年前の人間ドックの胃レントゲンでは胃潰瘍が多発し、粘膜が荒れていた。でも忙しいSさんが午後4時頃来院するのは、よほど症状が強かったのだろう。「Sさん、お仕事相変わらず忙しいのですか？　何か仕事でトラブルでもあったのですか？」「いや、今はそれほどではありません。でもやはり帰宅は夜中の2時、3時です。そうだ、夜遅いので寝付きが悪く、よく眠れません。だから胃薬のついでに睡眠薬もください。家が遠いからできるだけ多く欲しいんです」初めて人間ドックで来院した時は、無口な印象だったが、今回はよく喋った。ただ以前は奥様がご一緒だったからだと思った。

「Sさん、最近ストレスで仕事が嫌になった、辞めたいと思うことはないですか？　どんなことでも相談にのりますよ」「いや、仕事は確かにきついですが、まだそこまではありません。でもひどくなったら相談に乗ってください。お願いします」笑顔でSさんは言い切った。そこで2週間分の胃薬と睡眠薬を出す。

翌朝早く、K県警から緊急とのことで電話があった。

「先生、Sさんに出した薬は何ですか？　教えてください」「Sさんに何かあったのですか？　こちらこそ教えて頂きたいですね」「今はお教えするわけにはいきません。捜査上のこととしてご協力頂けませんか？」「捜査上でも理由もおっしゃらないのに、患者の個人情報である投薬内容について、電話でお話はできません。その辺ご理解ください」

すぐSさんの奥さんに連絡したところ、泣きじゃくっていて話にならなかった。何とか聞き出すと、Sさんは自分で命を絶ったという。当院の薬は意識をぼうっとさせて死への恐怖を取り除くために使ったと考えられる。何故なら、睡眠薬1種類、2週間分では死に到るほどの量ではないからである。覚悟の自殺だった。

Sさんは上司に頼まれるとノーといえないタイプ。上司だけでなく、家族や部下と回りの誰に対しても気を使う。唯一、自分自身には気を使わなかった。そのため、仕事がいつも山のようにあり、誰にも文句を言えず、自己犠牲を強いて、毎晩夜中まで一人仕事をしていた。

可愛い3歳、5歳の子供二人と妻を残して死ぬのはよほど追いつめられていたに違いない。なぜ当院で相談してくれなかったのか？　多分、誰も自分のことを救えないと自己完結していたのだろう。特に苦境に入っている時は、何事も客観的に見えない。自分自身を楽にするためには死しかないと思いこんでしまう。でもこれは間違っている。誰かに自分の状態を打ち明けて話すことで、自分のことが客観的に見えてくる。すると自分が悩んでいることが楽に感じ、将来的に解決できそうな予感と希望が湧いてくる。その数は多ければ多いほど良い。

◇10年経ってもずっと苦しむ家族

10年経って、Sさんの妻のT子さんが当院に尋ねて来た。実は当院への人間ドックをSさんに勧めたのは、T子さんだった。その当時気が動転していて、ちゃんとした挨拶も出来ず、申し訳なかったという。Sさんが亡くなってから、いろいろなことがたくさん起きたが、子供達も含めて落ち着いて来たという。「先生、今だからお話できるようになりましたが、主人は自宅の庭に止めた車の中で、排気ガスを吸って亡くなったのです。その時に先生のところのお薬とビール数本を飲んで、眠りながら亡くなったものと思います。そういう意味では先生にもご迷惑おかけして申し訳有りませんでした」こうやってT子さんは、この10年間ずっといろいろなところで謝り続けて来たのだろう。Sさんの自殺は、たった2度しか診察していない私にまでショックを与え、彼についてなぜ？と考え続けさせている。家族なら、なおさらだろう。10年経った今でも、家族は周りに対し気兼ねしながら生きている。

「ずっとT子さんのご一家が心配でした。確かに当日の朝、警察署から電話があったのは驚きましたが、大変でしたね」「本当に大変でした。何で自分で命を絶ったのか、未だにわかりません。そのことを考えると悔しくて涙が止まりません」T子さんはもう泣き出していた。

「僕もずっと最後の日のSさんとの会話を何度も振り返るのですが、あの場で何とか自殺を止められなかったかと今でも考えます」「何か体調が悪くなれば、先生のところに行ってね、と言っていたのに、それが睡眠薬をもらいに行くなんて、本当にご迷惑をおかけしました」

「ご自分を責めないでください。納得行かないと思いますが、誰も悪くありません。彼が若くしてガンで亡くなったと思って、諦めた方がいいでしょう。多分、彼はうつ病だったのです。病気だったのですから、仕方ないと明るく生きてください。それからご家族、特にT子さんは全く悪くないのですから、Sさんのことで謝るのはもうこれっきりにしましょう」「ありがとうございます。10年経っても、まだ引きずっているんです。本当に情けないですね。でも、これからは本当の意味で、家族3人助け合いながら生きて行きます」

自殺はずっと後を引く。亡くなった本人はいい。でも残された家族や周りの全ての人達がずっと長い間苦しむ。そうなる前に自分の中の苦しみを最低10人には話して分かち合おう。

ワーカホリック・チルドレンから心不全

Aさんは中堅広告代理店に勤める40歳の男性である。仕事は大量にあり、朝8時から夜中の2時まで息つく暇もない。その後、行きつけの寿司屋で焼酎を飲みながら、一日の疲れを癒す。平均睡眠時間は3時間程で、かなりハードである。その代わり30人前後の会社で、年間売り上げの3分の2の20億円を一人で叩き出す。だから会社はAさんの言うなりだった。

家では子供がいて休めないと言えば、会社の近くにマンションを借りあげてくれる。さらには、Aさんが気にいらない部下を切り捨てても誰も文句を言わない。そのため常に人が足りなかった。それでもAさんの稼ぎっぷりには目を見張るものがあり、社長も文句がいえなかった。実はAさんは結婚3度目で、各々の妻に子供がいる。今回の結婚生活も危険な状態で、離婚寸前であった。これはAさんが、ワーカホリック・チルドレン（以降WC）だからである。仕事さえできれば、何をしても周りから許されるという意識があり、会社でも個人的にも自分の思う通りにならない、または自分が注目されていないと自ら関係を断っていく、まるでお子ちゃまだった。学校でも偏差値がいいと、親や先生が大抵のことは目をつぶって甘やかす。そのため世の中の基本的ルールを無視した大人になるのと似ている。働きぶりは抜群、でもその他は子供のまんまの社会人だった。ただし女性には優しい。つき合っている間は一生懸命その女性の好みに合わせ、いろいろ尽くすのでモテる。ところが、いざ結婚して子供ができ、妻の関心がAさんから子供に移ると、家庭はギクシャクしてくる。

◇ワーカホリック・チルドレンへの対応

ＷＣの特徴は５つある。１）仕事中毒だが、仕事が楽しく趣味の世界。２）回りの人も自分同様、仕事が楽しいと錯覚。３）有能で業績さえよければ全て思い通りになると勘違い。４）異性は好きだが、家庭は振り返らない。５）身体は過労死寸前まで放置。この様な仕事はできるが、幼稚な大人が増えている。ＷＣの人には、人生には仕事と異性以外にも楽しいことが数多くあることに気づいてもらうことが肝心だ。同時に自分の身体に意識を向けてもらいたい。なぜなら仕事に没頭すると、多少の身体の異常や痛みは麻痺し、相当悪くなっても気がつかないからだ。特に心臓機能低下から突然死が多く、要注意である。何度も子供に言い聞かせるように注意しても意味が無い。ＷＣの場合、自分を否定することは全く無視するからである。それではどうするか？　仕事や家庭から一度長期的に離れてもらうしかない。

A氏は忙しい中、感心なことに年1回は当院の人間ドックに来ていた。心臓肥大が年々強くなっており、毎回注意をしていた。そんなA氏が急に胸が苦しいと来院する。あまりに過労が酷く、話もできない。緊急検査では心臓機能がかなり落ち、心不全状態だった。すぐさま大学病院に入院する手はずを整えたが、どうしても嫌だと拒否する。それなら最低3週間は会社を絶対休むことを約束してもらう。そして当院の隣のホテルに宿泊し、できるだけ動かず、心臓の余分な水を抜くための注射に毎日通ってもらう。放っておけば、好きな仕事に邁進する。彼への療法はとにかく仕事だけではなく、家庭からも切り離すことだった。病状から診て絶対安静だったが、それだけではA氏の治療としては充分ではない。彼にはどうしても自分を見直すため一人になる時間が必要だった。点滴をしながらの診察では、子供の頃何になりたかったのか？　仕事を離れ、どんなことに気づいたか？　将来の夢は何か？など普段A氏が忘れていたり、無視してきたことに目を向けてもらう。時間は十二分にあった。

◇立ち止まって、人生を振り返って観る

仕事から離れてみて、自分と仕事との関係、家族との関わりについて、客観的にゆっくりと観ることが出来た。最初は別れた家族のことを思い出し、とても悪いことをしたと後悔の念ばかりが浮かんで来たという。こういう後悔をしたり、自分を責めたりすることが嫌だっ

たので、後ろを振り返らず、常に前ばかり見て来た。ホテルの部屋で一人、A氏は夜中までサッカー中継を夢中で見ていた。昔、高校生の頃にサッカーに熱中したことを懐かしく思い出したという。また、前に別れた小さな子供達とサッカーのまねごとをして遊んだこともあった。振り返れば、後悔ばかりかと思えば、楽しい思い出も沢山あることに気づく。そう思ったら、肩の力がすーっと抜けて行く感じがして、とても楽になったという。

そんな中、今後どうして行こうかじっくり考え直してみる。今の仕事仲間や家族との関わりをもっと深く持ちたいと心から思った。３週間後A氏は体調も回復し、職場復帰する。復帰してからは、定時に帰宅してもらう。そんな中、部下達に自分が頑張っているのは、ただ売り上げのためだけでなく、こんな夢からなんだという話を一人一人に熱く語る。すると、もっと前からそういう話が聞きたかったと、部下達の目の色が変わった。同じ話を妻にもした。それほど反応はなかったが、文句の数は明らかに減った。毎月必ず当院に来てもらい、半年が経った。仕事、家庭両方ともに部下や妻、子供との距離が前よりずっと縮まる。それが証拠に、今まで一人で背負って頑張っていたものを、回りの人達が分担してくれるようになり、精神的にも肉体的にも楽になった。それでいて売り上げは落ちなかった。でも本人が恐れていたのは、これがいつまで続くかだった。もしまた自分一人で背負わなければならなくなったら、その時に考える。それまでは今の楽な自分を楽しんで欲しいとアドバイスする。

医者の不養生——仕事熱心が招いた病

〝医者の不養生〟、そんな言葉がG先生（当時70歳男性）にはぴったりだった。年齢からみれば私の恩師のようだが、実は当院に通う患者さんである。G先生は国立T大医学部を卒業。有名なF病院の副院長として65歳で定年を迎える。その後一部上場のN社の健康管理センター長として、ゆっくり余生を楽しむものと誰もが思っていた。この施設はG先生の自宅から電車で2時間30分以上かかり、実務をするには遠すぎた。ところが酒もタバコもやらず、趣味のないG先生は新しく赴任した健康管理センターで、朝早くから夜遅くまで仕事をし始めたのである。そのため平日は会社の社宅で寝泊りする。自宅へは土曜の夕方に帰り、日曜の晩にはまたN社の社宅に戻る、そんな現役さながらの単身赴任生活であった。

彼の専門分野は消化器内科だった。そこで社員1千人の健康診断を引き受け、自ら内視鏡検査を行ない、がんの早期発見に積極的に取り組む。医学会やセミナーにも積極的に出かけ、より新しい診断機器や検査方法を取り入れた。その結果、N社での消化器系の癌の発見率が高まる。でも業績の良いN社では厳しいノルマのせいか、うつ病患者が増えた。そこで逸早く専門医を呼び、カウンセリングを始める。そんな風にN社員の健康管理を粉骨砕身やってきた。当院に通いだしたのも最初は新しい検査法や予防医学のやり方を自分の健康管理センターに取り入れるためだった。

初めての当院のドックで、左の腎臓に2㎝大のAMLという腫瘍がみつかった。これは血管・筋・脂肪腫と呼ばれ、殆どが良性である。でもたまに悪性化する。だから当院では必ず本人に指摘し、精密検査を勧める。また右の腎臓には尿管結石があり、腎機能が低下していた。それを聞いてG先生は青くなる。今まで受けてきた他院での人間ドックでは指摘されたことがなかったからだ。急にできたとすれば、悪性の可能性が高く、左の腎臓を手術で取る必要がある。でも右の腎機能が悪く、左の腎臓を取れば人工透析になる。慌てて母校の同級生の元泌尿器科教授に頼み、精密検査をしてもらう。結果は良性で、ほっとする。以来当院の人間ドックで毎年全身チェックするようになる。と同時に「今こんな検査を会社で取り入れようと検討しているのですが、どうでしょうか？」と、自分の検診センターのチェックにも余念がない。時折とんでもない業者から、全く役に立たない検査を導入しようとしていた時もある。そんな時、未来の予防医学の方向性を話し、検査の導入をやめるよう説得する。G先生自身と共に彼の検診センターのドックもやっているようだった。ただG先生は後輩医師の私の話にじっと耳を傾け、とても感謝してくれる。優秀な医師であると同時に素晴らしい患者さんでもあった。

◇狭心症より驚く早期胃ガンの発見

初めて当院を訪れて3年後、やや範囲の広い労作性狭心症を運動負荷試験の心電図で認める。自覚症状は無かったが、心臓の血管が急に詰まり、いきなり心筋梗塞を発症、突然死を起こす可能性が大きかった。普通の胸部X線や安静心電図では全くわからない。でもG先生が3年前、胸苦しさが多少あり、かかった都内の有名な心臓専門病院では、この労作性狭心症の指摘は当時なかった。直ぐその病院に出向き、G先生は当院の所見を見せたが、そこの院長は鼻から信用せず、精密検査は2週間も先にされた。G先生はすぐ当院に舞い戻る。当院から、米国での留学から返ってきたばかりの腕の良い循環器専門の医師を紹介し、すぐさま心臓カテーテルを行う。すると左前下行枝という心臓で一番太い動脈が99%狭窄しているのがわかる。ただ、狭窄が強く、血管のバイパス手術は難しそうだった。でも最先端のカテーテル治療で、それを取り除き事無きを得た。

その次の年には、G先生の最も得意とする早期胃癌が見つかる。しかも彼の専門の内視鏡検査ではなく、胃のX線検査でである。この時は最初から「お任せしますので、先生の勧める病院、ドクターを紹介してください」とセカンドオピニオンも求めず、信頼頂く。そこで内視鏡の開祖で、かなりの手術件数をこなして来たT先生に紹介し、手術してもらう。内視鏡でそこだけ取るにはやや癌が深く、開腹して胃の3分の2を取る。手術は完璧だった。

なぜG先生はこんなに病気が多いのか？　酒もタバコもやらない、ストレスもない。でも突き進むと周りが見えなくなる。仕事に夢中になると、他のこと全てがどうでもよくなる。自分の身体へのメインテナンスは最悪だった。その辺のものを食べ、睡眠時間も削る。運動などはもってのほかだった。特に人の命を預かるストレスフルな医者の生活で、最悪のメインテナンスで40年以上も経てば、次から次へと病気は発生する。それからは単身赴任でいた会社の社宅に奥様に来て貰うようにお願いする。また自分がどうしてもやらなければならない切羽詰った現場に直面しないように「医療を続けるなら、生活習慣に意識を向け、仕事は自分の趣味と思って楽しみましょうよ」と指導する。新しいセンター長もみつけ、自らは名誉職になりながらも趣味として診療を続ける。

今年で胃を取って10年、80歳になるが、今も元気に仕事を続けている。来院の度に「安岡先生に2度も命を救ってもらった。先生に会わなかったら、寿命の短い医者の一人で終わったでしょう」こちらが照れる、でも医者が患者から最も言われたい台詞をG先生はさらりと言ってくれる。普段口べたなG先生だけに心に残り、また頑張ろうという気持ちになる。

うつ病との楽しい共存

Tさん（28歳）は大手メーカーの技術職である。コンピューターの仕事が好きで、毎日楽しく仕事をしていた。ところが、ある時から急に夜眠れなくなり、午前中ぼうっとして仕事にならない日が続く。典型的なうつ病の症状である。でもやらないと上司からの叱責が恐い。何とか仕事をやっている振りを続けたが、一カ月後業績が悪く、上司から厳しいチェックを受ける。そのことで、病状はますます悪化する。会社指定の精神科に通うが軽快せず、療養のため長期休暇となる。しかし休んでいても、なかなか症状が改善しない。本人不安になり、当院を訪ねる。話を聞くと、原因は増え続ける仕事のノルマがストレスだという。気持ちが焦り、仕事に対して、よけい手がつかなくなるという悪循環にあった。上司にTさんと一緒にカウンセリングを受けてもらい、Tさんになぜきついノルマを与えるのかを教えてもらう。上司も上の上司から厳しく、数字を管理されており、上司自身もうつ病になりそうだという。そのことを上司の口から直接聞いて、厳しい情勢下に上司もいることをTさんは理解できたという。自分一人だけが苦しんでいる訳では無いことを目の当たりにして、気持ちが随分楽になる。3カ月後、Tさんはすっかり回復し、職場に戻った。

◇2度目のうつ病の原因は恋愛問題

1年後Tさんから電話が来る。また体調が崩れ、食欲がないので診て欲しいとのことだった。話を聞くと、今度は失恋したという。思いを寄せ、真剣につきあっていた女性が他の男に寝返る。Tさんにお願いし、その女性にも会ってみた。大の男達が取り合いするほどの大した美人でもない。Tさんがうつ病を再発させるほどの女性ではないことをカウンセリングで伝える。勿論、彼女がいない時である。また、どうせ悩むのならば、凄い美人で優しく気だてのよい日本一の女性に惚れて悩んでみたらどうかとカウンセリングした。彼女に夢中になっていたTさんにとって、彼女に対し、そういう見方もできるのかと目から鱗が落ちる思いがしたという。一度うつ病を起こすと、些細なことで同じ症状に陥りやすい。しかしストレスのかかる事実が起きても、それに対し、違う捉え方ができるとショックは軽くなる。つまり自分の捉え方が一つに凝り固まっていないかを常に客観的に見ていられれば、それに柔軟性が出てきて、いろいろな捉え方ができるようになる。そうなれば逆にどんな出来事で自分が落ち込むのかを余裕を持って楽しく観られるようになり、人生の自由度が増す。

やって当たり前症候群

結果がプロセスよりも大切なご時世である。最近とみに、結果さえ出せば何をしてもいいという殺伐感を今の日本に感じる。しかし普通好い結果を出せば、上司にも誉められ自分自身もいい気分になる。そのため結果を出そうと日夜頑張る人は多い。ところがS氏（55歳）はそういった賞賛には全く興味無く、結果のみを求めてきた。彼は、とある中堅電気会社の筆頭重役、今まで誠心誠意、仕事に精出し、会社に素晴らしい貢献をしてきた。ところがそんな優秀なS氏が突然ひどい頭痛に襲われるようになる。頭のＭＲＩ検査を始め、数々の精密検査をしたが、とくに明らかな異常は認められず、最終的な診断結果はストレス性高血圧症だった。本来ならば降圧剤治療だが、一度降圧剤を飲み始めると薬を止めるのが難しい。

そこでカウンセリングでストレスの軽減を図ってみた。原因は本人の仕事感、人生観にあった。彼の仕事への原動力は「やって当たり前」と自分に言い聞かせ、毀誉褒貶に関わる感情の揺れを無視、結果だけ求め、徹底的に突き進む。社長から誉められてもいい気にならず、機械のようにバリバリ仕事をやり続けて来た。その報酬として出世はしたが、身体と家庭はガタガタだった。感情を無視し、仕事の結果のみを求め、突き進んできた人達にこういう体調不良や高血圧が認められ、その原因が己の仕事感にあることから「やって当たり前症候群」と名づける。この症候群は団塊の世代に多い。過酷な競争社会の中で自然と身につけた方法といえる。仕事達成のために邪魔になる喜怒哀楽を徹底的に無視する。感情無視トレーニングはベトナム戦争でグリーンベレーなどの特殊殺人部隊に施行。無感情で人が殺せるように訓練された。その結果、特殊部隊の人達には、奇妙な体調不良さらに病気の出現率が高い。

この所の不況で会社の業績が低迷する。さらに今回、頭痛と高血圧が起こり、Sさんは参ってしまう。「これは、ゆっくり休んで自分の身体に目を向けなさいというメッセージなのです」というと、そんな悠長なことでは会社が潰れ、多くの社員が路頭に迷う。こんな時こそ頑張らねばとより自分を叱咤激励する。Sさんには、降圧剤の代わりに、ある宿題を出した。毎晩眠る前、布団の中で、自分の身体を優しく抱きしめ、〝今日もよくやった〟と心から自分自身を誉める。これを治療の一つとしてやってもらう。始めSさんはびっくりしていた。人は自分が体験してこなかったことをやる時には必ず驚き、抵抗する。でも続けてみると確かに頭痛がとれ、血圧も正常化した。と同時に家族との接し方も変わる。日曜日は仕事か接待ゴルフだったが、今は妻の趣味の園芸に付き合い、夫婦仲が昔のようによくなったという。

“うつ”の時には非日常の勧め

F氏（43歳男性）は大手自動車部品メーカーに勤める。180cm近い身長とがっしりした肩幅で、笑い声も豪快である。それでいながら生来、細かいことに気づく性格が幸いし、仕事は順調で、同期の中でも出世が早かった。夫婦仲も良く、全てが順風満帆だった。ところが、ある日急にF氏は自分が精神的におかしいことに気づく。やらなければならないことが多すぎて、何から手をつけていいか、迷ってばかりいる。何とかやっと一つ手をつけ始めても、他のことが気に係り、集中できず、いつまでも片付かない。そのうち頭が真っ白になってくる。部下への負荷が多いから手伝いたい。でも自分の仕事が増えると思うと、すぐに手伝えない自分がストレスとなる。だから部下でも上司でも一緒に話していると動悸がしてくる。

ある日の帰り、電車が来た時、このまま飛び込んだらどんなに楽だろうと本気で思ったという。が、3年前に友人が自宅で自殺未遂を起こしたが、今はすっかり回復し復職したのを思い出す。いかんと思い直した。次の日はそんなに辛くなかったが、熱が37度前後あったので会社を休む。金曜日だったので、日曜まで3連休となる。その間、どうしたら仕事から逃げられるか？　来週も会社に行かなかったら、どんなに楽かということばかりが浮かんで来た。出勤しようと思えば行けたはずなのに、行きたくないからと休んだのは初めてだった。ショックを受ける。その後会社に出社するが、会議中も積極的な考えが浮かばず、集中力が低下。口を開けばこの会議を早く終わらせるための発言ばかりになった。2カ月ほど一人で悩んだ末、上司の部長に相談したところ、直ぐ当院を紹介され、予約まで取ってくれた。

来院されて、話を最初から伺う。F氏は反応性うつ病であった。反応性うつ病とは原因のあるうつ病であり、その原因は仕事にあった。長年購買の仕事をしてきたが、ここに来て急に材料不足が起こり、どこを探しても材料が手に入らない。そのため、いろいろな材料会社とコンタクトを取らざる得なくなり、目が回るほど忙しくなっていた。問題は材料が手に入らなくなって部品がつくれなくなるのを、F氏は自分の責任と思い込んでしまうことにあった。さらに人間ドックの結果では、うつ病以外に高血圧症、不整脈、高脂血症を認めた。

F氏に提案したのは、今までの生活で体験してこなかった非日常生活の勧めであった。なぜならこの21年間会社と家の行き来、それに関連しての飲み会、さらには夏冬休みの2泊3日の旅行もいつも同じ場所と殆ど会社と家族を中心にした同じ生活をしてきた。しかも会社の部署も13年間変わらず、全く同じ仕事だった。つまり家と会社のみの変化の無い、ほぼ決まりきったことをF氏は続けて来た。だから、いつもと違う問題が急に起きても、それを解決する能力は極めて低かった。それに対し昨今の経済情報社会では、もの凄い早さで変革が起こっている。それに適応しないわけにはいかなかった。

◇違う環境を自ら作り出す

今までの自分を見直すため、まず10日間会社を休んでもらう。そこでまず今までの食生活を一緒に見直し、本当に身体に必要な栄養価のものだけを摂るようにし、余分な物は削ぎ落す。さらに今まで会社に勤めてきた21年間、殆どしたことのなかった運動、特にジョギングを始めてもらう。また自分の命があと1カ月のみと仮定し、思い残すことがないように最後に一番行きたい場所を選んで旅してもらう。その時一緒に行きたい相手、場所共に自由にF氏に選んでもらった。なにしろ、自分の命があと1カ月しかないのだから、誰への遠慮も必要ないことを強調して伝える。F氏は家族と伊豆へ旅行にいくことを選んだ。そこの温泉街で一人息子とシャテキを存分に楽しんだり、普段は食べないような贅沢な食事をたくさん食べたという。そんな10日間はあっという間だった。会社に出てからは前と違って、F氏は、仕事がうまくいかないのを自分のせいにすることをやめていた。すると、同じことをやっているはずなのにストレスを感じなくなった。

ところが、出社し始めて1カ月強で、F氏に理解のある直属の部長が他の部品会社に引き抜かれ、別の上司が来た。前の部長は厳しかったが、F氏の話を最後まで聞いてくれた。だが今度の上司はとにかく会議中も、個別に指示を出す時も常に一方的で威圧的だった。その上司の元で、過去2名の部下がうつ病になり、同時に部署の7割の人が彼のやり方に疲弊していた。上司が変わって2週間後、F氏はまた会社に行きたくなくなる。体調も悪い。集中力も低下。重要な会議を忘れてしまうほどの記憶障害まで出て、周囲からもおかしいと言われた。反応性うつ病の再発だった。すぐにF氏は当院を訪れ、一緒に対策を考える。今度はF氏は一人で悩まなかった。原因が自分ではなく、会社の上司にあることは明らかだった。他の上司や人事部にも相談し、さらには会社に来ている心療内科の医師にも会い、うつ病であることをしっかり証明してもらう。そのことで、13年間働いた部署を思い切って変えてもらった。今は材料の調達から生産技術の仕事をしている。部署と上司が変わったF氏は人が変わったように、明るさと仕事への情熱を取り戻した。

1年後のドックで高血圧症、高脂血症、肝機能障害も改善した。この1年間でF氏は自分の名前と家族以外は、食事、運動、嗜癖を含んだ生活習慣から仕事、上司に至るまで、全てを変えて生まれ変わった。全てのうつ病でF氏のように上手く行くとは限らない。でも一番効果があったのは、それらを変える力が自分の中にあることにF氏が気づいたことである。

年200万円で暮らす人生での喜び

当院の受診者Iさん（60歳男性無職）は「年収300万円時代を生き抜く経済学」（森永卓郎著、光文社2003年刊）よりも上を行く年2百万円で、自分の好きなことをやり、生き生きした人生を送っている。患者と書かないのは、Iさんがどこか悪くて治療を要している訳ではないからだ。今頼りは自分の身体だけと、生活習慣と共に血液や心臓をより良くするため、もう7年前から3カ月に1回、予防医学による健康チェックに見える。2年前にエンジニアとして30年勤めたIT関連の上場企業を自ら退職する。会社からは後輩の育成のために残ってくれと懇願され、友人からも将来性のある優良企業を定年前になぜ辞めるのかと不思議がられた。でもこれからの自分の人生で好きな電気製品を作り、会社に縛られない自由な人生を謳歌したくてきっぱり辞めた。辞める前にも何回か身体のチェックのため来院され、その度に早期退職について相談に乗っていた。自ら退職を決断したIさん本人もやはりどこか不安だったのだろう。ただし私もIさんのご友人と同様、直ぐ辞めないで様子を見た方が良いというアドバイスをしていた。

退職して1カ月後、前から隠居後の住まいと思って買っておいた千葉の田舎の家に都内から引越す。Ｉさんには離婚暦があるが子供もいない。一人身の気楽さもあり、悠悠自適の生活を送っているように見えた。ところが、丸2年経った時にＩさんは自分に癌がないかどうか、徹底的にチェックしてくれと急に言ってこられた。理由を聞けば、毎月支払っているガン保険を見直して整理したいという。会社の退職金や今迄の蓄えから、これからの5年間で貯金1千万円までしか使えない。切り詰める理由は、いくつかの年金を合わせて毎月30万円もらえるようになる65歳までの3年間を年2百万円つまり月17万円弱で遣り繰りしていかなければならない。今までもそれで十分生活できたので、これで年金がもらえれば、あと年に百万円強が余り、自由に使える。そのため、ケチケチ貧乏生活に慣れるようにしてきた。でもこのところ、その生活にやや疲れてきたので、少しは余裕のお金が欲しくなる。

ガン保険をやめる前の全身検査で、直腸に6㎜大のポリープ様腫瘍が認められた。それがガンかどうかを精密検査で調べることになったが、Ｉさんは「先生、それが癌であるのを祈ります。そうすればガン保険で3百万円入って来ますから」。普通ならガンでないことを祈るのに、Ｉさん自身それほど精神的にぎりぎりになるまで自分を追い込んでいた。その表情もいつものお風呂上がりのようなテカテカ光り輝いた感じはなく、くすんで生気がなかった。

毎月の収入が無く、貯金のみを崩して使っている際には、その貯金が例え十分にあっても、ストレスがとても強く、パニックに陥りやすい。ただし今のIさんは、切り詰めながらも予防医学的には、理想とすべき生活を送っていた。朝は玄米と五穀米をブレンドしたものに納豆と野菜の煮物。昼には食パン1枚と朝の残り。夜は魚の煮物または焼き物とそば、ひじきかオカラであった。そばも三把で200円以内だから自炊すれば、かなり安く上がるという。さらには朝と夕に散歩を欠かさない。その合間に好きな電気製品を作るのだが、部品や道具を買う趣味のお金まで回らないため、ガン保険にかけているお金が欲しいとのことだった。

◇良性と聞いてがっかり肩を落とす

大学病院で内視鏡的に取った病理結果は良性であった。結果を聞いて肩を落とすIさんに対し「でもIさん、ガンだったら開腹手術が必要となり、抗癌剤も使いますよ。そうなれば、よけいにお金がかかるだけではなく、いつ再発するかもしれないという恐怖感もずっと付いて回ります」と申し上げた。と同時に、素晴らしい電気製品を作り、それを売って生計の足しにすればよいことを提案した。それを製品化して売る時の権利を半分ほど上げる条件をつければ、そんなに高くない（月5万円ぐらい）投資として、いくらでも出してくれる人はいるし、何なら紹介しますとまで言った。それを聞いて、明らかにIさんの顔から曇りが消えた。同時に「確かにガンになったら、年金がもらえる予定の63歳までもたないかも知れませんね。となると、今回ガンじゃなくてよかったです」と納得して帰られた。

次の日に以下のメールが来たので、そのまま掲載する。

「昨日は大変有難う御座いました。気分も明るくなって、帰りに秋葉原でいろいろ部品を仕入れて帰りました。最近、東京に出ると人が多いのに驚きます。以前は私もこんな人混みの中で生活をしていたことを懐かしく思い出すと同時に、東京で歩いている人達の顔が皆一様に疲れているのを見ると、逆に今の貧乏生活が幸せに感じます。私の周囲の人（プール通いをしている人）は皆、病院の検査を嫌がりますが、私はいつも貴院でやって頂く検査が好きです。食事や運動で自分の体がどのように変化したのかを必ず見て頂けるので検査結果が楽しみです。特に今は貧乏生活をしているので、栄養不足や目に見えない病気が心配ですが、検査を受けて適切なアドバイスが貰えるので安心して貧乏生活が続けられます。どうかこれからも宜しくお願い致します」

Ｉさんは、お金がなくても自由と健康を手に入れ、さらに趣味も実益にすればよいという考え方の切り替えができた。いつものようにお風呂上りの様な輝きを取り戻したＩさんの笑顔が目に浮かぶ。

就職に悩むM君へ

いつも当院でアルバイトでカルテ運びや事務雑務をこなしてくれている真面目なM君。そんな彼が切羽詰った表情で「カウンセリングして下さい」と言ってきた。M君は某私立大学4年生で将来の進路に対し真剣に悩んでいた。15年前米国留学先の病院にストレス・マネージメントというセクションがあった。そこでは他学部の学生が将来の進路で悩んだり、試験のプレッシャーで眠れない時に、心理学のスタッフがカウンセリングを行っていた。それらに何度か立ち会ったのを思い出した。M君は単なる相談でなく、カウンセリングを受けたいというのだから、かなり深刻なのだろう。

早速時間を取った。M君は中程度の成績で、体育会剣道部に所属する。最近になってどこの会社に行こうか悩み、何をやるにしても気もそぞろで手につかない。まずカウンセリングで聞いてみた。「M君は将来何をやりたいの？」「それ何ですよ、問題は。やりたいことが無いから悩んでいるのです」と本当に悩んでいるのかと思うくらい、明るくハキハキ答えるM

君。受験勉強で高校、塾と家の往復、さらには大学とクラブ活動のみで、まだ世間というものを何も知らない。そんな21、22歳の若者に将来の行く末を決めろというのは確かに酷だ。決められないのは当然だろう。「でも来年は不況で就職がもっと厳しくなり、今就職先を決めておかないといけないのです」一応の希望としてM君は今景気絶好調のメーカーに入ろうかと思っているという。物作りが好きなわけでもない。何となく今好景気の会社は学生の間で人気が高く、そこに入るのはある意味エリートでカッコいい。就職についての流行よりも、まず自分が一番好きなことは何か?をよく考えることが今のM君には一番必要だった。ところが彼には、現在それを生業としてもよいと思うような好きなことがない。確かに好きなことや興味深いことがあれば、わざわざカウンセリングなど受ける必要はない。M君の話だと、今時好きなことや、やりたいことがある学生の方が珍しい。できれば気楽な学生をもっとやっていたい。でも親への遠慮もあるため、就職を決めなければならないと思っている学生が殆どだという。

そこで当院に健康管理に通うH氏の話をした。彼は某大学の経済学部を優秀な成績で卒業。当時の花形だった銀行か証券会社に行くものと誰もが思っていた。ところがH氏はわざわざ花形企業を蹴り、何となく貿易関係に引かれたことから商社を考えた。でも大人数を募集していたことから躊躇した。むしろ少人数しか募集していなかった、昔は好景気で良かったが当時はとても地味になっていた船会社を選ぶ。当時その会社は可も無く不可も無くの普通の会社だった。就職して20年後の今彼は43歳で、その会社の経常利益率は最高益。彼自身も若くして部長となり、やり甲斐も給料も高くなっている。

◇今よりも20年後に絶好調になる企業を探す

それに対してT氏は45歳。彼もH氏と同じ大学の経済学部の出身で、有名な経済学者である教授のゼミを取り、その教授の推薦で当時就職先として花形だった銀行、その中でも最難関だった超一流銀行に入行する。ところが、40歳時にその銀行はあえなく潰れ、外資のものとなる。仕方なく彼はあるベンチャー企業に再就職する。経理として頑張っているが、何せ若い社員ばかりで、毎日朝8時から夜11時までの長時間勤務にまいっている。しかも給料は前銀行職の半分となり、福利厚生も皆無に等しい。それでも同期で、未だに職が見つからない人もいて、それよりはましと自分に言い聞かせている。しかしちょうど子供も進学などでお金が掛かる時期に来ており、妻からも責められ精神的にも辛い。

今の二人の例は、M君をはじめ就職に悩む大学生には、とても参考になる。まず第一に自分が少しでも好きな分野を選ぶ。第二には少人数の募集により目を向ける。第三には、今は目立たないが近々店頭公開するか、または十年後に1部上場を目指す志のある企業を選ぶ。

第4に自分が働いた功績ができるだけ明確に見える会社がよい。大企業では自分が大きくしたという自負は起こらない。でもある程度の規模の会社ならば、自分が会社にどのくらい貢献したかが如実にわかり、やり甲斐も増す。20歳代は給料が安くても、20年後家族に一番お金のかかる40歳代にバリバリ働けるような成長企業であれば尚良い。ただし、そういう将来伸びていく企業を見出すのは至難の業である。逆に今現在波に乗って絶好調という企業は目立っており、探しやすい。そういう今うまく行っている会社いくつかをピックアップし、それらの20年前のデータを見れば、20年後に絶好調になる企業の傾向がわかり、将来伸びる企業を探すのに役立つ。世界でも有名な車の製造メーカーであるT社も1950年には一度倒産しかけている。それが逆に現在T社を世界一にした原動力かもしれない。

T社の例から見ても栄枯盛衰は世の常であり、今絶好調の会社や職業が20年後、絶好調とは限らない。せっかく無理して難関突破し就職しても後で痛い目に遭う可能性もある。できれば見た目派手ではないが、少人数性の比較的若い企業や職業を狙った方がよい。ただ、出来たばかりのベンチャー企業はリスクが高すぎる。よく探せば設立から既に十年以上経ち、これから大きく羽ばたこうとしている企業は幾つもある。M君は今年会長が50歳になったばかりのＩＴ系上場企業を選んだ。私のアドバイスが正しいかどうかは20年後にわかる。

テーク・ユア・タイムでいこう（脳は95歳まで大丈夫）

Mさん（68歳）は、ある有名大手監査法人で若い頃から活躍し、役員にまで登り詰めた、いわゆるサクセス公認会計士である。しかし昨年その大手監査法人を定年退職し、ある中堅企業の監査役として顧問を始めた。しかし実際のところ、3年前に脳梗塞を患って以来、身体だけでなく精神的にも弱っていた。それでも大手監査法人に在職中は、優秀な若手社員達が実務を全部しきっており、Mさんは最後のチェックをする立場にいたので、その衰弱度はそれほど目立たなかった。

ところが定年後、新たな顧問先会社の取締役会議に定期的に出席するようになる。最初の会議で、早速経営方針について監査役としての意見を求められたが、咄嗟に頭が回らなかった。そのため言葉が出ず、切れのよい発言ができなかった。後でゆっくり考えればちゃんと答えられるのに、その場ですぐというのには無理があった。そのように取締役会議で咄嗟に意見を求められ、すぐに答えが出ないことが何度か続いたため、その後は意見も求められなくなる。そのため、逆にMさんは自信を失い、その取締役会議に出席するのが億劫になってくる。頭ではすぐに答えようと思うのだが、口先から言葉を発するのに時間がかかり、会議に出席している人達が待ちきれず、先に進んでしまう。また法人会計に関しての法律も時事刻々変化し、常に勉強すべきなのだが、変化するスピードが早すぎて、ついていくのがやっとであった。そうなると、当然新しいことがよけい頭に入ってこない。こんな経験は今まで長く働いてきて初めてだった。常に仕事では人をリードしてきたはずが、一人だけ取り残された気分になり落ち込む。老兵、病人は去るのみと全て引退し、気楽な隠居生活に入るべきかと悩んでいた。そんな折、当院の総合人間ドックを受診する。

脳梗塞の後遺症か、確かに話がゆっくりであり、こちらからの質問に対して答えるのに時間がかかった。でもそれ以外の神経機能は全く正常であり、答える内容も的を得ている。むしろインテリジェンスを感じさせる、しっかりしたやり取りであった。また、身体面でももちろん悪性腫瘍もなく、臓器もきれいであり、糖尿病その他高脂血症もなく、血液データも安定していた。脳梗塞になってから、食事や運動に気をつけ、治療薬もしっかり飲み、血圧や体重のコントロールをしっかりやって来た成果が出ていた。まだ引退を考えるのはもったいない。どうすれば自分の機能を会議においても最大限に引き出せるのか？　これがMさんと当院にとっての最大の課題であった。

◇脳梗塞を起こしても脳機能は衰えない

脳梗塞を起こし、言葉が出にくくなり、自信を失っている人は多い。しかし国立長寿研究所の研究を始め、その他いくつかの世界的研究データでは、人間の精神神経機能は少なくとも70歳まで向上し、それ以降もゆっくりと徐々に落ちていくというから、95歳までは大丈夫という。つまり言葉が喋りにくくなったり、動作が遅くなったとしても、それは精神神経機能が落ちていることではない。ものを見たまま覚える直接記憶はさすがに20歳代には勝てない。でもその分知識を融合して、覚えて行く関連記憶は年を重ねた人の方が優れている。そのため似ても似つかない異業種ビジネス同士を一緒に融合させるような仕事は、若い人よりもむしろある程度年齢のいった人の方が発想しやすい。ノーベル賞を見ても、医学賞や化学賞などの理科系の賞は、確かに20歳代または30歳代前半までの新発見や発明に贈られることが多い。しかし文学賞を見ると、豊富な知識や人物を色々な角度から捉え、様々な人間関係を融合している作品が多い。ある程度年齢がいった30歳代後半から60歳代まで書き続けたものがその対象になることが多く、そういう意味では脳の融合システムを賞賛されていると言っても過言ではない。

Mさんはドック後1年間何回か当院に通ってもらい、自信を取り戻した。今では顧問先の社長から一目置かれ、個別相談も受けるほど頼りにされるようになる。その理由は何か？

簡単である。ただ〝テーク・ユア・タイムでいこう〟であった。時間をかけてゆっくり考えてゆっくり答える。まずは会議に出席する取締役の方々一人一人に自分の病気の話をちゃんと話し、時間をかければ答えることができる旨を理解してもらう。また会議の1週間前には資料を取り寄せ、問題点を明確にしておく。そしてそれを自分なりに前もってレポートしておくだけで、会社に役立つアイデアが次々と浮かび、出席者の賛同も得られた。それだけでない。会議が終わった後、そこで時間が足りなくて、話しきれなかったことをレポートして、それを会議に出席した方々に手渡す。そうなってくると、現金なもので新しい会計学も学ぶ意欲が湧いてくる。そこで当院でも色々と記憶に対して調べてみると昔の3倍以上時間をかけて勉強すれば確実に自分の物にできることもわかった。

自主的引退も、時間をかけて10年後に変更したいとの嬉しい報告を受ける。短時間に物事を達成することだけに重きを置いていると、大切な人的資源を見逃すことになる。

サラリーマンの鏡

A氏（70歳男性）は、日本で有数の一流企業の専務である。昨今何処の企業も若返りを図っているのに、A氏の年齢で専務を続けるというのはよほどA氏に実力があるのであろう。A氏は当院に来て間もない。1年前長女に勧められ、当院の予防医療人間ドックを初めて受診された。下半身より上半身の筋肉が異常に発達した元気満々のマッチョ体型をしている。聞けば、ベンチプレス都大会の65歳以上部門のチャンピオンだという。でも大のゴルフ好きなのに、2年半ゴルフをやっていない。その理由は、長年のベンチプレスによる左の腰痛と足の痺れでクラブを振れないからだった。会社の顧問医に紹介され大学病院で精密検査したところ、腰椎ヘルニアが原因だとわかったが手術不能という。腰椎の変形が強い上、右の大腿部の動脈が完全閉塞しているほど全身の動脈硬化が強く、手術は危険ということだった。でも右の大腿部の動脈は自然にバイパスができ、治療は必要なかった。動脈閉塞は55歳まで仕事のストレス解消で1日60本吸っていたタバコのせいだった。でも自然に動脈のバイパスができるのは珍しく、毎日数時間以上の運動を続けなければできないものだった。

仕事のストレスが一番大変だった45歳時から、ストレス解消のため運動を開始し、以来今日までずっと続けているという。でも仕事で忙しいのに、一体いつ運動しているのか聞いたが、笑って教えてくれなかった。前の大学病院からは脊髄の血管を広げる内服薬を2年以上出されたが、痛みと痺れは良くならず、好きなゴルフも諦めてきた。どうしてもゴルフが再開したいとの依頼を受け、再度、腰部のＭＲＩを撮り直し、全身の血管をチェックしてみた。すると身長１６７㎝、体重80㎏の肥満体から体重を５㎏落とせば、手術のリスクを減らせることがわかる。同時に当院のネットワークで、Ａ氏の手術を低侵襲でできる整形外科医を探す。すると当時まだ日本では珍しい、内視鏡で腰椎ヘルニアを手術できる権威がたまたま私の母校の大学病院にいた。同窓のよしみでお願いしたところ、快くＡ氏のＭＲＩのフィルムを診てくれた。その結果手術もできるし、痛みも取れる可能性が高いとのことだった。早速Ａ氏と相談し、体重を５㎏落とすプログラムを組み、２カ月で楽々達成する。普段４カ月待ちの内視鏡手術も、キャンセル待ちを利用し、早めに手術して頂く。その後すぐＡ氏は嘘のように腰の痛みと足の痺れが治ったと喜んで当院を訪れた。何年もできなかったゴルフも手術後半年後には、できるようになる。久しぶりのラウンドは本当に嬉しかったと心から感謝してくれた。凄く喜んで頂いたＡ氏にいつ運動していたのか、再度聞いてみた。

◇昼日中たっぷり2時間以上の運動を25年間

一流企業の営業にいて、そんなに時間がある訳がない。でもやらなければ、足のバイパスができないのだから謎だった。他の患者さんへの参考にするからと強引に聞く。するとA氏は、仕方ないという表情で話してくれた。「実は先生、私は45歳の時から今まで、昼の11時半から2時半までの3時間会社を抜け出し、スポーツクラブに通っております。つまり先生のお見立て通り、毎日2時間以上必ず運動しておりました。昼間にたっぷり汗をかき、昼食を摂り、何食わぬ顔をして仕事に戻るのです」それを聞いて、こちらが驚く。A氏は仮にも日本を代表する一流企業の社員である。それが45歳から70歳までの25年間、毎日昼日中3時間も外で自由にしていたというのだ。しかも専務にまでなったのだから、常に良い結果を出して来たのだろう。どう言って3時間も抜け出すのか？　聞くと「いや、ただお得意様回りということで外に出ます。ずっとなのでそれが当たり前のように、みんな思っていますよ。昔は携帯電話もなかったから、僕がいない間、部下が自分で判断しますから、結構自立心のついた部下が多いですよね、僕の部下は。ですから、みんな偉くなっています」しっかり運動してからの午後は眠くなるどころか、爽快で判断力もいい。「午後3時以降みんなだるそうで眠そうですが、僕はばっちり仕事しますね。だから午前様といった遅い残業にもならず、大抵9時には家で夕食を摂っていました」聞いていて、夜遅くまで残業し睡眠不足でふらふらになり、運動不足でぶくぶく太った企業戦士とは180度違った生活である。

「僕みたいなのを出世させてしまうのだから、会社もだめですよね。でもよく社長に言うんですよ。無理して働いてもいいことないですよ、もっと外に出なきゃって」「社長さんは何ていいますか?」「いやただ笑っていますよ。でも僕が昼日中3時間もさぼって運動してきたなんて、面と向かっては言えません」確かにそうだろう。よく人の紹介文を見ると、いろいろな役職に就き、多岐に渡る仕事に関わり、超人的なハードスケジュールをこなす、と書かれたものが多い。忙しい方が偉く見えたりするからなのだろうが、私からみれば、突然死予備軍であり、どうせ長いお付き合いは無理だろうからと、深い交流はしないようにしている。こういう忙しい人達にとっては、A氏のような生き方はできないだろう。でもイタリア人はよくシエスタといって昼休みを2時間くらいとる。当然日本人より働く時間は短い。でも車のフェラーリやファッションのプラダ、ブルガリ、グッチなど世界に冠たるブランドが多い。健康で、しかもいい仕事をするには、昼の充実した生活が実はいいのかもしれない。Aさんはその後72歳で会社を完全引退した後、当院にとても近いスポーツクラブに入会し、昼日中の3時間の運動を元気に続けている。

あとがき

最初にこの本の元原稿を書き始めたのが１９９６年である。だから、実に24年間かけてこの本は出来た。当院が開設30周年だから、当院の歴史と重なり感慨深い。だが今、日本は危機に瀕している。それは経済、医療の両方でだ。特に医療は崩壊している。なぜか?それは誰もが知る中国、武漢市から発生した新型コロナウイルス（以降コロナ）がこの日本を蹂躙しているからである。この原稿を書いている２０２０年4月20日には感染者数が日本で1万人を超えた。誰もが2月初旬に始まったこのコロナに対し、楽観視してきた。しかしこの4月上旬から下旬にかけての感染者数は倍々ゲームで日々増え続けている。世界ではイタリアがひどかったが、ここにきて米国が一気に感染者数、死亡者数ともに急増、世界ナンバーワンに君臨する。日本でも、少なかったはずの感染者数、死亡者数が4月に入り、急増したのは、政府が保健所を中心に行ってきたＰＣＲ検査数がかなり絞られてきたからだ。コロナのコントロールが良好な韓国、台湾、ドイツは日本の10倍やっている。だから日本の感染者数は実際より少なく認識されて来たのである。台東区の永寿総合病院から始まり、私の母校の慶應義塾大学病院、港区の要となる慈恵医大病院でも多数の院内感染者が続々勃発、まさに医療崩壊である。

そんな中、T氏が急に電話してこられた。今入院中という。コロナ感染症だった。いつも人間ドックでは重篤な高脂血症を指摘、でも治療は拒否。来院も最小限だった。T氏は発熱、倦怠感、息ぐるしさで、近所の病院に駆け込む。CTスキャンで肺炎を認め、PCR検査も陽性となり、緊急入院となった。入院できただけでも幸運なのに、何で電話かというと、奥様も、生後半年の乳飲み子を連れて里帰りしていたお嬢様も陽性だったという。「妻や娘にも感染《うつ》してしまって、もう私は死にたいです」と泣きそうな声だった。飲み屋に一緒に行った仲間4人とも陽性で、その中の1人がクラスターだった。数日後奥様も体調がすぐれず、近所の病院でCTスキャンを受け、肺炎を指摘される。でもまだ元気なので、自宅待機となる。心配するT氏のために奥様に具合確認の電話をしてみた。奥さんはご主人のT氏に激昂していた。飲み屋に通い、挙げ句の果ては家族にコロナウイルスを感染《うつ》した。許せない、退院してきても、家には入れない、離婚だと大騒ぎしていた。奥様の気持ちもよくわかる。1時間以上彼女の話を聞く。もともとT氏は真面目な優しい人であり、人から頼まれ、誘われると断れないタイプなのを思い出してもらう。またより免疫力を上げる方法もじっくり説明する。奥様の怒れる矛先は収まった。これから先は当分コロナに関しての新たな「心の薬」が必要となるだろう。できればそれが少なく済むことと、1年延期となった日本人の心の支えである東京オリンピックが必ず2021年には開催されることを祈り、この本の結びとする。